Schijnwereld

Marianne & Theo Hoogstraaten bij Boekerij:

Lokvrouw
Machteloos
Schijnwereld

www.boekerij.nl

Marianne & Theo Hoogstraaten

SCHIJNWERELD

ISBN 978-90-225-5879-9
NUR 305

Omslagontwerp: Wil Immink Design
Omslagbeeld: Victor Korchenko/Arcangel Images/Hollandse Hoogte
Zetwerk: Mat-Zet bv, Soest

De mens is pas mens als hij tot zelfbeheersing in staat is,
en eigenlijk pas dan wanneer hij haar in de praktijk brengt.

Mahatma Gandhi

Proloog

Ik ren voor mijn leven, een bruggetje over, langs gemaskerde feestgangers die geduldig wachten tot een gondelier ze een plaats in zijn boot toewijst. Angstig kijk ik over mijn schouder. Hij is dichterbij gekomen. Zijn felrode mantel wappert om zijn schouders. Vanachter het roofvogelmasker priemt zijn blik in de mijne. Toch is mijn angst sterker dan de bezwering om te blijven staan. Ik hol verder, langs een gracht, door een brede straat, het Piazza San Marco op. Orkestjes spelen schelle muziek, slagwerk galmt over het plein. Boven de basiliek spat vuurwerk uiteen, in een wolk van kleuren. Overal om me heen dansen mensen, met roze en groene gezichten. Ze sleuren me mee in een onstuimige, adembenemende dans.

Plotseling staat hij naast me, in een bundel licht waar ik niet uit kan ontsnappen. Hij grijpt me vast en slaat zijn mantel om me heen. Een klauw kruipt tastend langs mijn been omhoog, begraaft zich in mijn weke vlees en trekt het los, met een hels, krassend geluid. De klauw glijdt verder naar mijn buik, nagels dringen in mijn huid. Ik schreeuw van de pijn, sla onbeheerst om me heen en worstel om los te komen. Eindelijk verzwakt zijn greep. Het licht wordt gedimd en krijgt een vierkante vorm. Er klinkt muziek doorheen en ik hoor stemmen.

Geleidelijk word ik me ervan bewust dat ik op een bank lig. Er staat een televisie aan. Ik ben niet in mijn kamer thuis. Deze ruimte is een stuk kleiner en heeft geen ramen; wel een keukentje. Aan de muur hangt een wazige poster van een pin-upgirl. Ze danst, net als het glas op het tafeltje voor me. Mijn keel is droog, mijn tong voelt als leer. Ik wil iets drinken.

Moeizaam kom ik overeind en zet een paar wankele passen naar het aanrecht. De knop van de kraan probeert te ontsnappen als ik hem wil vastgrijpen. Bij de derde poging krijg ik hem te pakken en draai hem helemaal open. Ik duw mijn hoofd onder de straal en laat het water over mijn gezicht en in mijn mond lopen.

Wanhopig probeer ik wat orde te scheppen in de chaos in mijn hoofd. Waar ben ik? Wat is er gebeurd?

1

De ogen van Lucien van Bladel glijden over de auto's achter het traliewerk, dat de afgesloten parkeerplaats een schijn van veiligheid moet verlenen. Het parkeerterrein ligt naast een naargeestig uitziend viaduct, waar het drukke verkeer ondanks het nachtelijke uur overheen raast. De spaarzame verlichting creëert een voor autokrakers aantrekkelijk werkterrein. Toch zal hij zijn Audi ergens kwijt moeten.

Voordat hij een paar uur geleden het hotel verliet, had de receptioniste hem uitgelegd hoe hij op de parkeerplaats kon komen. 'Uw auto vlak voor het toegangshek rijden, zodat u binnen het bereik van de camera komt,' zei ze. Iemand zou het hek dan op afstand openen.

Hiervandaan zal hij vervolgens onder het viaduct door moeten lopen om bij het hotel te komen, een vooruitzicht dat hem zo tegenstaat dat Lucien de aanvechting heeft om door te rijden en zijn auto half op de stoep voor het hotel neer te zetten. Een bekeuring zou hij voor lief nemen. Tunnels en andere slecht verlichte doorgangen associeert hij met uit het duister tevoorschijn springende figuren, die hem onder bedreiging van een mes dwingen alles van waarde af te geven om hem vervolgens te molesteren.

Achter het verlaten viaduct schemert het schijnsel van een straatlantaarn.

In zijn achteruitkijkspiegel ziet Lucien een scooter naderen. De bestuurder remt af en passeert zijn auto tergend langzaam. Hij draagt geen helm, net als zijn passagier. Lucien voelt zijn hart bonken. Opgeschoren haar, agressieve uitstraling, een jaar of achttien; straattuig dat tegelijk angst en afkeer bij hem oproept. Hij ontspant pas wanneer de bestuurder gas geeft en met zijn kompaan uit het zicht verdwijnt. De dreiging die van de twee uitging, heeft zijn weerzin om de laatste honderd meter naar het hotel te voet af te leggen versterkt. Toch liever die bekeuring.

Opeens duikt de scooter weer op, zonder licht. Met hoge snelheid rijdt het tweetal op hem af. Zijn hart slaat op hol wanneer ze naast zijn auto tot stilstand komen. De passagier springt van de scooter af en rukt het achterportier open.

Zijn laptop! Snel draait hij zich om. Te laat. De jongen heeft het apparaat al van de achterbank gegrist. Hij grijnst. Dan zit hij alweer achterop. Vol gas stuift de scooter weg.

Lucien hapt naar adem. Om zijn hals is een strop geworpen, die langzaam wordt aangetrokken. De data in zijn laptop, de namen, e-mailadressen…

In zijn hoofd wordt een schakelaar omgezet. Contactpunten in zijn hersenen vonken en veroorzaken kortsluiting.

Als een bezetene draait Lucien aan zijn stuur. De banden gieren over het asfalt en knallen tegen de stoeprand aan de overkant van de straat terwijl hij de auto keert. Verbeten drukt hij het gaspedaal in. De Audi accelereert in een paar seconden naar bijna honderd kilometer per uur. Adrenaline giert door zijn lijf. De scooter duikt na een bocht voor hem op. Voor het kruispunt in de verte kan hij ze hebben ingehaald.

De jongen die achterop zit kijkt om. Hun enige kans op ontsnapping is over de stoep en dan via een wandelpaadje naar een van de flats erachter. Op de afslagen naar afgesloten ondergrondse parkeergarages of -pleintjes zouden ze zich klemrijden.

Lucien drukt het gaspedaal verder in. Hij moet afremmen om de scooter niet voorbij te schieten. Heel even maakt hij oogcontact met de bestuurder. De jongen kijkt verbeten. Plotseling gooit hij het stuur van de scooter om, in een poging om via de stoep te ontsnappen. Zijn voorwiel knalt tegen de stoeprand; het stuur wordt uit zijn handen geslagen. De scooter slaat over de kop en de twee jongens worden gelanceerd. Een van hen vliegt tegen een lantaarnpaal, de ander belandt in een lage heg rond een perk met struiken.

Lucien zet zijn auto stil en springt eruit. Even glijdt zijn blik over de twee jongens, die bewegingloos op de stoep liggen. Dat tuig heeft zijn verdiende loon gekregen. Waar is zijn laptop? De jongen in de heg hield hem vast. Hij heeft hem niet meer en in zijn buurt ziet Lucien hem niet liggen. Gehaast stapt hij over de heg en zoekt tussen de struiken. Daar glinstert de zilveren behuizing van de laptop in de modderige bodem. Goddank! Opgelucht bukt hij zich om de laptop op te rapen.

De jongen die zojuist nog in de heg lag, is rechtop gaan zitten en houdt een mobieltje tegen zijn oor. Zijn gezicht is vertrokken van de pijn. Die rat zal een beschrijving van hem en zijn auto kunnen geven, hoewel dat onvoldoende bewijs is. Zijn kenteken is een veel zwakker punt. De jongen zou het kunnen zien als hij wegrijdt.

Hij aarzelt even. Met een paar passen is hij bij hem en trapt hard tegen de zijkant van zijn hoofd. De jongen zakt geluidloos opzij.

En nu maken dat hij wegkomt. Daarna kan hij het beste via een omweg opnieuw naar het hotel rijden en zijn auto pontificaal foutparkeren bij de ingang. Vanuit de receptie kunnen ze dan zien dat hij niet vanaf het viaduct kwam en dus niet langs de plek is gereden waar twee straatrovers in de kreukels liggen.

Vanaf het kruispunt naderen koplampen. Als de auto hier langskomt en stopt, begint de ellende pas goed. Snel werpt hij een blik op het roerloze lichaam bij de lantaarnpaal. Rond het hoofd heeft zich een plas bloed gevormd. Als dat geteisem de pijp uit gaat, moet hij daar dan voor opdraaien? Dat nooit!

De auto slaat af naar een van de flats. Lucien zucht van opluchting. De weg is weer verlaten, wat niet zo vreemd is op dit tijdstip, in een buurt waarvan bekend is dat je er 's nachts beter niet alleen over straat kunt gaan.

Hij springt in zijn auto en rijdt met gierende motor weg. Pas als hij bij het kruispunt links af is geslagen, komt hem de eerste tegenligger tegemoet. Hij zucht opnieuw.

A narrow escape. Een snelle blik op de laptop naast hem op de voorstoel versterkt het gevoel van opluchting.

~

2

Ik kantel de stoel naar achteren en zak behaaglijk onderuit. Motorgeruis, een cd'tje met *easy-listening*, zachtblauwe dashboardverlichting en de voorbijglijdende stad bezorgen me vaak een gevoel van geborgenheid, althans, als Sylvester rijdt. Zijn linkerelleboog rust tegen het portier, zijn hand ligt losjes op het stuur. Het is behoorlijk druk op de rondweg. Hij neuriet met de muziek mee. Af en toe tilt hij zijn hoofd op om in de achteruitkijkspiegel te kijken.

Ik gluur naar zijn profiel. Licht gebogen neus, volle lippen en een hoekige kaaklijn. Donkerblonde lokken vallen nonchalant over zijn voorhoofd. Hij lijkt te voelen dat ik naar hem kijk, want hij draait zijn gezicht mijn kant op.

'Leuk trouwfeest, aardige mensen. En die zus van je... Heel anders dan ik had verwacht.'

'Wat bedoel je?'

'Gewoon. Een hartstikke leuke meid. Lijkt sprekend op jou.'

'Je hebt indruk op haar gemaakt. Ze was niet bij je weg te slaan. Waar hebben jullie het de hele tijd over gehad? Toch niet over mij?'

Hij moet afremmen voor een auto die vlak voor hem invoegt. Om zijn mond speelt een lachje dat ik goed ken: ik plaag maar wat, neem me alsjeblieft niet serieus.

'Ook over jou natuurlijk. Zoals jullie vroeger met elkaar omgingen. Ik wist niet wat ik hoorde. Namen jullie echt afgedankte vriendjes van elkaar over, compleet met gebruiksaanwijzing?'

De glimlach om zijn mond heeft zich verbreed, zie ik wanneer hij me even aankijkt. Daarna staart hij weer naar de weg.

'Dat is maar één keer gebeurd, en het was geen succes,' zeg ik grinnikend. 'Een puberexperiment. Ze heeft je toch niet nog meer van zulke sappige verhalen verteld? Zou echt iets voor Mariella zijn. Succes verzekerd, vooral bij mannen.'

'Ze heeft me er compleet mee ingepakt. We hebben vooral gepraat over je ouders, over alle toestanden. Ze vindt het jammer dat jullie elkaar alleen af en toe door de telefoon spreken. Ze mist haar zus, zei ze letterlijk.'

'Ik mis haar ook.'

'Waarom zoeken jullie elkaar dan niet een keer op? Jullie hebben tenslotte nooit ruzie gehad. Het is een kwestie tussen haar en je ouders, je vader vooral.'

'Ze heeft je flink bijgepraat.'

'Sommige dingen moet je van twee kanten horen. Ze wil niets liever dan het met iedereen bijleggen, te beginnen met je vader. Zou jij daar niet met hem over willen praten?'

'Nou ja! Waar bemoei je je mee?'

'Ik herhaal alleen maar wat Mariella me heeft gevraagd.'

Na een afslag komen we op een rotonde. Sylvester heeft al zijn aandacht nodig voor het invoegende verkeer.

'Ze hoopte er een beetje op dat jullie ouders er ook zouden zijn. Ze heeft ze al zo lang niet gezien,' vervolgt hij dan.

'Ze verwacht toch niet dat die voor de bruiloft van een nichtje naar Nederland reizen? Heb jij haar soms verteld dat ik van plan ben om binnenkort weer naar Venetië te gaan?'

'Ja.'

'Ik begin het te begrijpen. Maar waarom heeft ze het niet gewoon aan mij gevraagd?'

Sylvester haalt zijn schouders op. 'Bang dat je zou weigeren?'

'Natuurlijk doe ik dat niet.'

'Je gaat er toch niet uit eigen beweging met je vader over praten.'

'Daar is te veel voor gebeurd. Ze is van huis weggelopen toen ze net zeventien was en heeft bijna een jaar niets van zich laten horen. Mijn ouders zijn door een hel gegaan. Toen ze weer opdook werd ze liefdevol opgevangen. Tot ze haar kop weer in de wind gooide vanwege die abortus. Ze heeft er mijn ouders, en vooral mijn vader, diep mee gekrenkt. Je kent hem.'

'Houdt onwankelbaar vast aan zijn principes.'

Ik mis mijn zus meer dan ik Sylvester ooit heb verteld. Toen onze blikken elkaar vanavond kruisten, ging er een schok door me heen. Ik zag haar ook schrikken. Daarna deed ze haar best om met een glas wijn in de hand ontspannen verder te praten. We zijn naar haar toe gelopen en ik heb haar aan Sylvester voorgesteld. Jammer dat we niet langer met elkaar hebben gepraat. Dan had ze het vast aan mij gevraagd. Hoewel, als ze dat echt had gewild... Ik zucht een keer diep. Als ik niet oppas blijf ik er de rest van de nacht over doormalen.

'Ik bel haar even,' zeg ik terwijl ik mijn telefoon uit mijn tas haal.

Hij knikt. 'Dat zou ik zeker doen.'

Ze reageert al voordat haar telefoon voor de tweede keer overgaat. Alsof ze op mijn belletje zat te wachten.

'Hallo, Francesca. Zo spreek je elkaar een of twee keer per jaar...'

'... en zo zie je kans mijn vriend zo te bewerken dat ik je meteen moet bellen.'

Stilte.

'O, sorry. Ik verwachtte niet dat je het zo zou opvatten.'

'Doe ik ook niet. Grapje,' zeg ik snel.

'Gelukkig. Leuke vriend heb je, trouwens. Hij vertelde dat je binnenkort bij papa en mama op bezoek gaat. Weet je hoe lang ik ze al niet meer heb gezien en niets meer van ze heb gehoord?'

'Bijna zeven jaar, als ik me niet vergis.'

'Klopt. En dat doet pijn. Het is nooit te laat om iets recht te zetten of goed te maken. En omdat jij toch naar Venetië gaat, dacht ik...'

'... ik stuur Francesca op vredesmissie. Natuurlijk wil ik je helpen. Je zult me alleen wel moeten souffleren, want zo gemakkelijk zal het niet gaan.'

'Echt? Je bent een schat. Ik wist het wel. Wat een geluk dat we vandaag allebei waren uitgenodigd.'

'Als jij gaat trouwen nodig je toch ook je hele familie uit,' zeg ik droog. 'Zelfs zwarte schapen.'

Ze moet erom lachen. 'Ik bel je morgen. Dan praten we er verder over, oké?'

'Afgesproken. Welterusten, Mariella.'

'En?' wil Sylvester weten.

'We praten morgen verder.'

'Wat zo'n bewerkte vriend al niet teweeg kan brengen.'

'Hé, wat is dat?' Voor ons blokkeren politieauto's met zwaailichten de doorgang.

'Een ongeluk. We kunnen er zo te zien niet langs,' zegt Sylvester wanneer we dichterbij komen.

'Volgens mij is er meer aan de hand.'

Sylvester mindert vaart en zet de auto langs de stoeprand. Nieuwsgierig kijken we naar de opgewonden groep mannen voor ons. In de gauwigheid tel ik zo'n twintig jongeren, schreeuwend en gebarend naar politiemensen die zich tussen hen en een ambulance hebben opgesteld. Wat er daarachter gebeurt kan ik niet zien. De blauwe zwaailichten die over het tafereel flitsen geven er een explosief tintje aan.

'Wegwezen,' zegt Sylvester.

'Nee, wacht.' Ik leg een hand op zijn arm. 'Kijk eens naar die jongens.'

'Allochtonen die aan het rel schoppen zijn. Wegwezen,' herhaalt hij.

'Hoge nieuwswaarde dus.' Ik open het portier.

'Niet doen! Dit kan elk moment uit de hand lopen.'

'Ik wil zien wat daar gebeurt.' Ik gris mijn colbertje van de achterbank, stop mijn telefoon in mijn zak en stap uit.

'Je bent hier niet op gekleed. Doe normaal, Francesca,' dringt Sylvester aan.

Even aarzel ik. Normaal gesproken zou ik niet in een feestelijke jurk en op hoge hakken op zo'n opstootje afgaan. Toch wint mijn journalistieke instinct het in dit geval van Sylvesters protest en mijn voorzichtigheid.

Rustig lopen, geen aandacht trekken, hoe moeilijk dat ook is in deze outfit. Onopgemerkt blijven is een kunst die ik mezelf in de loop der jaren heb aangeleerd en die me veel informatie heeft opgeleverd.

Uit het zicht van de groep loop ik om een heg heen en sluip onder dekking van een rijtje struiken dichterbij. Bijna verlies ik een schoen omdat de hak in de zachte aarde wegzakt. Achter een struik gehurkt zit ik eerste rang. Voor me, op de stoep naast een lantaarnpaal, proberen twee ambulancebroeders iemand te reanimeren. Een agent praat met een jongen die niet ver daarvandaan op de grond zit. Aan de andere kant van de ambulance krijgen zijn collega's steeds meer moeite om de groep opgewonden jongeren ervan te weerhouden het ambulancepersoneel te molesteren. Uit mijn ooghoek zie ik dat Sylvester is uitgestapt en me achternakomt. Laat hij alsjeblieft geen aandacht trekken.

Een van de broeders steekt in een machteloos gebaar zijn handen op en komt overeind. De ander volgt zijn voorbeeld. Bij de toekijkende jongeren lijkt het kookpunt te naderen. Woedende kreten, niet mis te verstane krachttermen. Er wordt geduwd en getrokken, een agent pakt zijn wapenstok. Het werkt als de spreekwoordelijke rode lap op een stier. Opeens vallen er rake klappen. Voor de vier agenten is de overmacht te groot. De ambulancebroeders worden tegen de grond gewerkt, geschopt en geslagen.

'*What the fuck* durven jullie te stoppen?' schreeuwt een jongen met een mes in zijn hand. Doorgaan moeten ze, tot onomstotelijk vaststaat dat Khalid niet meer leeft. Ze denken toch niet dat ze dat zelf mogen bepalen? Hardhandig worden ze naast het roerloze lichaam op hun knieën gedwongen en gesommeerd door te gaan met hun hartmassage.

Ik trek me verder terug tussen de struiken en schakel de camera van mijn telefoon in. Een agressieve groep jongeren, ambulancemensen met angst in de ogen – dit moet worden vastgelegd.

Net op tijd denk ik eraan om de flitser uit te zetten. Het oranje schijnsel van de lantaarnpaal geeft het tafereel een sinistere aanblik, die nog zal worden versterkt door de donkere achtergrond. Snel maak ik een paar foto's. Ik schrik omdat Sylvester een hand op mijn schouder legt.

'Te gevaarlijk hier,' fluistert hij. 'Kom alsjeblieft mee.'

'Nog even.'

De agenten blijven bewonderenswaardig kalm. Ze staan naast de ambulancebroeders en praten op de jongeren in. Een agent is naar de surveillancewagen gehold. Om versterking op te roepen, neem ik aan.

'Wat doen jullie hier?'

Een jongen van een jaar of twintig staat opeens aan de andere kant van de heg. Hij draagt een spijkerbroek met daarboven een kort, bruinleren jack. Vanachter rechthoekige brillenglazen nemen zijn ogen ons vijandig op. Zijn houding straalt agressie uit. Sylvester vloekt binnensmonds. Zou het in mijn voordeel werken als ik me bekendmaak als journalist, vraag ik me af. Die gok moet ik maar nemen.

'Ik ben journalist en wilde weten wat er hier gebeurt. We reden toevallig langs.'

'Een dronken klootzak heeft Khalid en Fouad met zijn auto van de weg gereden,' klinkt het nors. 'De hufter is doorgereden.'

'Hoe weet je dat?'

'Journalisten, die heel toevallig langsreden,' zegt hij tegen een jongen die naast hem is komen staan.

Die neemt ons wantrouwend op. 'Gedonder met Marokkanen en ze waarschuwen tegenwoordig meteen de pers. Als het uit de hand loopt kun jij natuurlijk zeggen dat de smerissen niet zijn begonnen.'

'Ik kan ook verklaren dat de smerissen wel zijn begonnen, toch?' Ik houd zijn blik vast en glimlach liefjes naar hem. Sylvester heeft er gelukkig voor gekozen om zich niet met het gesprek te bemoeien.

'Ik geloof niet in sprookjes.' Hij trekt een verongelijkt gezicht. 'Wij hebben het automatisch gedaan.' Luisterend steekt hij een vinger op. 'Daar komt de versterking. Let goed op wat er zo gaat gebeuren.'

Het geloei van sirenes wordt snel luider. Vanaf het kruispunt naderen in hoog tempo koplampen van een overvalwagen en een surveillancewagen. Op slag verliezen de jongens hun aandacht voor ons en lopen terug naar de groep.

De twee wagens stoppen met gierende remmen. Portieren vliegen open, ME'ers met helmen op en getrokken wapenstok springen eruit.

De jongeren hebben een kordon om Khalid en de twee ziekenbroeders gevormd en maken niet de indruk te willen vertrekken. Er worden middelvingers opgestoken, er wordt gescholden en gespuugd. Er komen nog meer jongens aan, op scooters en in auto's. De sfeer wordt steeds grimmiger.

'Die zijn per mobiel opgeroepen. Dit wordt een veldslag. Ga alsjeblieft mee,' dringt Sylvester aan.

Ik maak nog snel een paar foto's. Daarna proberen we ons achter de struiken onzichtbaar te maken.

De ME'ers hebben zich in slagorde opgesteld. Doorzichtige wapenschilden vormen een glimmende muur. Helmen weerkaatsen het lantaarnlicht. Een ME'er zet een megafoon aan zijn mond. Zijn metalige stem schalt over de omgeving.

'Gaat u alstublieft weg. Laat het ambulancepersoneel zijn werk doen. Ze proberen alleen te helpen. Maak geen problemen, dan hoeven wij niet in te grijpen. Nogmaals: men probeert uw vrienden te helpen.'

De kalmerende toon waarop de oproep wordt gedaan staat in schril contrast met de dreiging die van de ME'ers uitgaat. Die waren trouwens wel erg snel ter plekke, bedenk ik. De politie heeft kennelijk een uiterst adequaat oproepsysteem.

De jongeren lijken iets te kalmeren. Ze overleggen met elkaar. Een van hen roept iets onverstaanbaars naar de nieuwkomers. De jongen die net met ons heeft staan praten, steekt een hand op en beduidt zijn vrienden achteruit te gaan. Een leiderstype, want hij wordt gehoorzaamd. De grimmige stemming zwakt verder af.

'Dank u wel,' schalt het uit de megafoon. 'Als u naar huis gaat, trekken wij ons terug. Naaste familie van de slachtoffers kan blijven.'

De ME'ers kruipen inderdaad terug in de overvalwagen, de jongens verwijderen zich in groepjes.

'Komt dit nu morgen in de krant?' De jongen in het leren jack staat weer voor ons. Zijn blik is minder vijandig dan zo-even, zijn houding lijkt toeschietelijker. 'Niet echt interessant, toch? MAROKKAANSE JONGEREN NEGEREN PROVOCATIE DOOR DE ME EN TREKKEN ZICH VREEDZAAM TERUG. Wie wil dat nou lezen?' zegt hij op een meewarig toontje. 'Rel schoppend Marokkaans tuig dat auto's in brand steekt, dat is toch veel interessanter?'

'Dacht je? Mensen willen ook wel eens positief nieuws over jullie lezen.'

'En jij gaat dat schrijven?'

Hij kijkt me strak aan, probeert in te schatten in hoeverre ik te vertrouwen ben.

'Ja. Waarom niet? Blijkbaar ben ik hier niet toevallig langsgereden, maar dan moet ik wel weten wat er precies is gebeurd. Je vertelde net dat de scooter is aangereden door een dronken automobilist. Hoe weet je dat zo goed?'

'Fouad heeft dat gezegd. Die zat achterop en heeft waarschijnlijk alleen een paar ribben gebroken, hoorde ik net. Hij is meteen na het ongeluk gaan rondbellen.'

'Kan hij een signalement van de dader en van zijn auto geven?'

'Ik denk het wel. Daarvoor moet je bij de politie zijn. Voor welke krant werk je eigenlijk?'

'Ik ben freelancer.'

'O. Benieuwd of je echt iets positiefs gaat schrijven.'

Ik hoor dat ik zijn wantrouwen nog niet heb weggenomen. 'Wacht even.' Ik haal een kaartje uit mijn zak en geef het hem. 'Mocht je de komende dagen nog iets kwijt willen, bel me dan.'

'Francesca Rizzardi,' leest hij hardop. 'Freelancejournalist.'

Hij draait zich om en loopt weg voordat ik naar zijn naam kan vragen.

'Tevreden?' vraagt Sylvester.

'Wat dacht je?'

'Dat mag ook wel als je zulke risico's neemt. Blij dat het zo is afgelopen. Of komt er nog wat?'

Een agent heeft ons blijkbaar met de jongen zien praten en komt op ons af.

'Mag ik weten wat u hier doet?' Hij neemt ons met een mengeling van verbazing en achterdocht op. 'Dit lijkt me niet echt een plek om 's nachts te gaan wandelen.'

'We wonen in de buurt en komen net van een trouwfeest toen we die ambulance zagen. Onze auto staat verderop,' verklaart Sylvester.

De agent draait zijn gezicht in de richting waarin hij wijst.

'We waren nieuwsgierig naar wat er was gebeurd,' vul ik aan.

'En dus bent u maar tussen de struiken gekropen om alles goed te kunnen zien?' Het ongeloof druipt van zijn gezicht. 'Mag ik uw legitimatie zien?'

'Natuurlijk. Alstublieft.' Sylvester geeft hem zijn rijbewijs.

Hij pakt het aan, draait zich om zodat het licht van de lantaarn er beter op valt en bestudeert het aandachtig.

'U mag van geluk spreken dat het zojuist niet uit de hand is gelopen,' zegt hij wanneer hij het teruggeeft. 'Jullie auto staat daar helemaal verkeerd. Als u onmiddellijk vertrekt zie ik het door de vingers.'

Een dienstkloppertje, dat zo nodig nog een bon voor foutparkeren uitschrijft ook.

'Zullen we doen,' zeg ik coöperatief. 'Klopt het dat die jongens door een dronken automobilist zijn geschept?'

Hij kijkt me verbaasd aan. 'Dan weet u meer dan ik. Hoe komt u daarbij?'

'Dat vertelde de jongen met wie we stonden te praten.'

'Kent u die?'

'Nee. We toonden belangstelling en dan hoor je wel eens wat.'

Achter hem is weer een auto gearriveerd. Er komen twee mannen in witte pakken uit. Een van hen heeft een camera bij zich en maakt foto's van de scooter vanuit verschillende posities. De ander, met een meetlint, zet krijtstrepen op de weg. De agent wordt erdoor afgeleid en vergeet dat hij nog niet naar mijn legitimatie heeft gevraagd. Gelukkig, want die zit in mijn tas in de auto.

'Gaat u alstublieft naar huis,' zegt hij.

'Natuurlijk, agent,' zegt Sylvester. De politieman loopt weer naar zijn collega's, Sylvester stapt over de heg.

Ik duw een paar takken van een struik opzij om dezelfde weg terug te nemen wanneer een glinstering op de grond mijn aandacht trekt. Een witzilveren schijfje. Ik buig me ernaartoe en zie vlak naast de cd nog iets liggen. Door de takken verder opzij te trekken geef ik het licht van de lantaarn vrij spel. Het duurt even voordat tot me doordringt wat ik zie. Dit is een vreemde plek voor een schuiflaatje dat van een laptop of van een computer moet zijn afgebroken. Het schijfje dat erbij ligt zat er hoogstwaarschijnlijk in.

Ik werp snel een blik achterom. Er wordt niet meer op me gelet, behalve dan door Sylvester, die ongeduldig staat te wachten. Alle aandacht is gericht op twee jongens die de broeders van de ambulance ergens van proberen te overtuigen. De woede van de jongens lijkt plaats te hebben gemaakt voor gelatenheid. Het slachtoffer dat net nog op de grond zat, wordt op een brancard getild. Een van de mannen in het wit markeert met krijt de omtrek van het roerloze lichaam dat nog op de stoep ligt. De pogingen om hem te reanimeren zijn dus definitief gestaakt. Hij zal zo wel in een lijkwagen worden afgevoerd.

Hoe komen dat laatje en die cd op deze plek terecht? Voor de struik naast mijn voet zit een hoekige afdruk in de aarde, alsof er een stoeptegel of zoiets is neergekomen. Noem het beroepsdeformatie, maar ik krijg het gevoel dat dit iets met het ongeluk te maken heeft. Ik buk me om het schijfje op te pakken. Lang kan het hier nog niet liggen, want het is bovenop droog terwijl het vandaag flink heeft geregend. Voor het laatje geldt hetzelfde, maar daar ben ik minder in geïnteresseerd. Die dingen kunnen hier heel goed rond het tijdstip van de aanrijding zijn terechtgekomen. Toch kan ik geen logisch verband tussen het schijfje en de aanrijding bedenken. Mocht dat verband wel bestaan, dan ben ik nu bewijsmateriaal aan het verdonkeremanen. Maar ik kan altijd volhouden dat ik van niets wist, besluit ik en ik stop mijn vondst weg in een zak van mijn colbertje.

De brancard met de gewonde jongen erop wordt in de ambulance geschoven. Er staan nog wel jongens toe te kijken als de ambulance wegrijdt, maar van grote opwinding is geen sprake meer. De mannen in hun witte pakken kunnen ongestoord hun werk doen.

'Ga je erover schrijven?' vraagt Sylvester wanneer we wegrijden.

'Weet ik nog niet. Hoezo?'

'Echt spectaculair is het niet.'

'Omdat het zo is afgelopen? Juist daarom wil ik erover schrijven.'

'MAROKKAANSE JONGEREN NEGEREN PROVOCATIE DOOR DE ME EN TREKKEN ZICH VREEDZAAM TERUG,' citeert hij de jongen van zoeven. 'Dit interesseert niemand, Francesca.'

Zijn toontje ergert me. Daarom houd ik voor me dat ik een cd heb gevonden.

3

Ik word wakker van lippen die zachtjes de mijne raken. Sylvesters gezicht zweeft boven me met een brede lach erop. Hij is al aangekleed en staat op het punt de deur uit te gaan. Ik heb niet eens gemerkt dat hij is opgestaan en moet dus finaal door de wekker heen zijn geslapen.

Ik glimlach naar hem, sla geeuwend het dekbed van me af en rek me omstandig uit. Hij volgt mijn bewegingen met begerige belangstelling.

'Jammer nou dat je al weg moet,' kan ik niet nalaten om wat zwoel te zeggen.

Hij vraagt zich serieus af of hij zijn kleren weer zal uittrekken en bij me in bed zal duiken, stel ik tevreden vast. Ik kan hem nog steeds krijgen waar ik hem hebben wil.

'Ga je straks dat spraakmakende artikel nog schrijven?' vraagt hij een beetje spottend. 'Of waren die Marokkaantjes toch te braaf?'

Sylvester appelleert aan het verwachtingspatroon van de gemiddelde krantenlezer. Waarom schrijf ik dáár geen artikel over? Het perspectief van vooroordelen.

'Wat kijk je opeens ernstig?'

'Treurig, bedoel je, omdat ik alleen moet ontbijten en een eenzame dag tegemoet ga.'

De verwarring staat op Sylvesters gezicht te lezen.

'Ik plaag. Ga nou maar, voordat er weer iemand in de fout gaat omdat jij niet voor hem klaarstond.'

'Dat zou je wél een goed artikel kunnen opleveren.'

'Hoor je wat je zegt? Vertrouwelijkheid, geheimhouding, daar draait het in jouw werk toch om?'

Hij grijnst en loopt de slaapkamer uit. Als ik even later de deur van het appartement hoor dichtvallen, draai ik me nog een keer om.

Zolang ik Sylvester ken probeer ik erachter te komen wat hem heeft bezield om reclasseringsmedewerker te worden. Ondanks zijn inspanningen recidiveert meer dan de helft van zijn cliënten na kortere of langere tijd. Het zou me nog meer demotiveren dan het baantje dat ik direct na mijn studie had.

Het is bijna zeven jaar geleden, maar ik herinner me nog goed hoe trots ik was toen ik te horen kreeg dat de redactie van een roddelblad mij had verkozen boven meer dan tachtig medesollicitanten. Vol enthousiasme stortte ik me op voor de doelgroep interessante onderwerpen. Ik verdiepte me serieus in BN'ers, glamourfeestjes, foute mannen, beroemde relaties, plastische chirurgie en droomvilla's.

In die periode leerde ik Sylvester kennen. Door zijn nuchtere kijk op het luchtkastelencircuit, zoals hij mijn werkterrein noemde, dienden zich al snel twijfels aan over het nut van al mijn geschrijf, ook al bewonderde hij me omdat ik mijn geld verdiende door met heel veel woorden vrijwel niets te zeggen.

Ik stopte ermee nadat ik een wandelend uithangbord van de plastische chirurgie had mogen interviewen. De vrouw was waar mogelijk al opgevuld, strakgetrokken en ingespoten, maar zag toch kans om steeds weer iets te ontdekken wat voor verbetering vatbaar was. Tussen de ingrepen door figureerde ze in quizzen en ander tv-vermaak, zonder te worden gehinderd door enige kennis van welke zaken dan ook. Een diepte-interview, had ik mezelf voorgenomen, gericht op haar motieven. Het werd een vrije val in de afgrond van totale nietszeggendheid. Voor het eerst zag ik geen mogelijkheid woorden te vinden die het acceptabel beschreven.

Ik wilde schrijven over zaken die er wel toe deden, over het waarom van gebeurtenissen, over de drijfveren van mensen. Helaas had de serieuze journalistiek geen belangstelling voor iemand met mijn referenties. Toch probeerde ik het als freelancer, eerst met rechtbankverslagen, later met artikelen over grote en kleine criminaliteit. Sylvester zit in die wereld, dus laat hij zich wel eens wat ontvallen waar ik verder in kan graven.

Jammer dat Marije, mijn hartsvriendin van de middelbare school, niets loslaat. Ze werkt in de meldkamer van de politie en is dus van veel zaken op de hoogte. We wonen op loopafstand van elkaar, niet omdat we bewust naar een woning in elkaars buurt hebben gezocht, maar omdat dit de enige plek is op redelijke afstand van het centrum waar nog betaalbare woningen te vinden zijn. Een van de voordelen van dicht bij elkaar wonen is dat we een paar keer per week in het park samen kunnen joggen.

Ik draai me om en kijk op de wekker. Kwart over acht. Marije heeft deze week nachtdienst; dan gaat ze pas 's middags slapen en kunnen we eerst een rondje park doen.

Nee, geen zin, besluit ik. Ik rek me nog eens uit en kom dan mijn bed uit. Eerst douchen en dan koffie.

Terwijl ik het warme water over mijn lijf laat stromen, denk ik aan wat de Marokkaanse jongen me vertelde. Een dronken automobilist zou die scooter hebben aangereden. Dat zei althans de duopassagier die het er levend van af heeft gebracht. Hoe kon die zo zeker weten dat het om een dronken bestuurder ging? Die was immers doorgereden? Stom, dat had ik meteen moeten bedenken en vragen.

Nadat ik me heb afgedroogd, loop ik in mijn badjas naar de keuken om koffie te zetten en een glas cranberrysap in te schenken, mijn huismiddeltje tegen blaasontsteking, waar ik de laatste tijd iets te vaak last van heb. Wanneer ik het aan mijn lippen zet, gaat de telefoon.

'Hoi, Francesca. Zin om te gaan joggen?'

Marijes stem klinkt zoals altijd opgewekt. Hoe flikt ze dat toch na een nacht werken? Ik kan een kreun niet onderdrukken.

'Mag morgen ook? Het is nogal laat geworden vannacht.'

'Heb je al ontbeten?'

'Nee.'

'Ik ook niet. Eerst hardlopen, daarna bij mij thuis ontbijten, oké? Morgen kan ik namelijk niet.'

'Omdat je zo aandringt,' zeg ik zuchtend. 'Even omkleden. Over een kwartier ben ik bij je.'

Iets later dan afgesproken loop ik de hal van haar appartementencomplex in en meld me via de intercom.

'Ik kom eraan.'

Ze ziet er weer verbazingwekkend goed uit. Ze draagt een grijze legging, die strak om haar slanke benen spant, daarboven een wit shirt, ze heeft haar haren in een paardenstaart, een flesje water in de hand en een opgewekt gezicht zonder een spoortje slaperigheid. En ik heb al moeite met één nachtje doorhalen. Een lichaam past zich blijkbaar aan aan het regelmatig wisselende ritme van dag- en nachtdiensten.

Even later hollen we naast elkaar over asfaltpaden die langs vijvers, bosjes en grasvelden slingeren. Het lijkt een mooie dag te worden. Hier en daar hangt nog nevel boven het water. Eenden dobberen rond met de kop tussen hun veren, wachtend op de eerste wandelaars met brood. Een reiger staart roerloos in het water, zijn snavel in de aanslag. Alleen het achtergrondgeruis van het verkeer op de rondweg herinnert me eraan dat we in een stadspark lopen.

Marije gaat over op wandelpas en kijkt me aan. 'Was het een leuk feest gisteren?'

'Gezellig. Ik heb mensen gesproken die ik jaren niet heb gezien. Mijn zus was er ook,' zeg ik hijgend.

'Mariella? Hoe is het met haar?'

'Goed, geloof ik. Sylvester vond haar erg aardig.'

'Zoals alle jongens vroeger. Dat is dus niet veranderd. Zij zelf wel?'

'Daar lijkt het op. Ze wil dat ik met mijn vader ga praten omdat ze het goed wil maken.'

'En? Doe je dat?'

'Ik denk het wel. Ik wil niets liever dan dat alles weer goed komt.'

Marije draait de dop van haar flesje, neemt er een paar slokken uit en houdt het daarna mij voor.

'Dank je.'

'Op de terugweg reden we langs een opstootje dat bijna uit de hand liep,' zeg ik terloops. 'Een groep Marokkanen belaagde ambulancepersoneel. Een dronken man zou jongens op een scooter hebben aangereden.'

Marije heeft er vast mee te maken gehad, maar daar kan ze niets over loslaten.

'Er verscheen zelfs ME. Die was erg snel ter plekke, vond ik.'

'Zijn jullie daarbij geweest? Je mag van geluk spreken dat het geen massale vechtpartij is geworden.'

'Het zag er even erg dreigend uit.'

'Vandaar die ME. Zullen we weer?'

Zonder er verder over te praten maken we ons rondje af. Had Marije doorgevraagd, dan had ik wel iets gezegd over die cd. Die zit nog in de zak van mijn colbertje, schiet me te binnen. Ik neem me voor om zodra ik thuis ben, hem in mijn laptop te stoppen. Ben benieuwd wat erop staat.

4

Vannacht was ik zo slaperig dat ik niet meer aan het cd'tje heb gedacht, anders had ik het wel uit de zak van mijn colbert gehaald voordat ik het in de klerenkast hing. Ik schuif de deur met passpiegel open. Hangertjes klepperen tegen elkaar als ik ze over de stang naar links schuif. Mijn hand verdwijnt in de rechterzak, mijn vingers vinden het schijfje. Ik haal het eruit en bekijk het nieuwsgierig. Een aan beide kanten zilverkleurige cd-rw van 700 MB. Op de onbedrukte kant zitten wat modderspatjes.

In de keuken veeg ik ze er met een handdoek voorzichtig af. Daarna loop ik naar mijn werkkamer en zet mijn laptop aan. Ongeduldig wacht ik tot hij is opgestart. Schijfje in de lade, sluiten, opnieuw wachten.

Bestanden die nu op cd staan verschijnt op mijn scherm. Het zijn er twee, een naamloze en een met de titel *galerij*. Die klik ik open. Er verschijnen twee rijen portretfotootjes van jongens en meisjes, allemaal rond de twaalf jaar, schat ik.

Werk van een schoolfotograaf, foto's voor een schoolarchief misschien? Het bestand heeft drie pagina's. Ik scroll naar de tweede. Opnieuw portretjes. Sommige kinderen lijken me ouder dan de rest.

Er staan in totaal zestien foto's op de eerste twee pagina's. Op de laatste pagina staat niet de groepsfoto die je zou verwachten; wel twee portretten, groter dan de andere, van een jongen met een mediterraan uiterlijk en een volwassen man.

Ik scroll terug naar de eerste pagina en kijk nog eens goed naar de gezichten. Een meisje met blond krullend haar valt me op omdat ze wel iets weg heeft van Mariella. Ik klik op de foto om hem te vergroten. USERNAME en PASSWORD, verschijnt in een rechthoek op het fotootje. Shit! Bij een reeks pasfoto's van kinderen denk je niet meteen aan kinderporno, zelfs niet als ze op een cd staan waar wellicht een luchtje aan zit. Maar zodra ze met een *username* en *password* blijken te zijn afgeschermd, gaan de alarmbellen rinkelen.

Ik klik andere foto's aan. Telkens hetzelfde schermpje met USERNAME en PASSWORD. Dan maar eens het bestand zonder naam openen. Onleesbaar schrift vult het scherm. Programmeertaal. Ik ga terug naar de portrettengalerij. Aannemende dat het om Nederlandse kinderen gaat, dan moet er toch een te traceren zijn, of anders de fotograaf. Stel dat hij de man is die de aanrijding heeft veroorzaakt. Dan heeft hij genoeg reden om het terug te willen hebben.

Stel dit, stel dat…

Ik haal het schijfje uit mijn laptop, besluit om het even te laten rusten en sta op om een kop koffie te halen. Terwijl ik inschenk gaat ergens in huis de telefoon. Waar heb ik dat ding neergelegd? De slaapkamer. Daar ben ik het laatst geweest om mijn sportkleding aan te trekken. Met mijn kopje in de hand haast ik me ernaartoe. De laatste beltoon sterft weg op het moment dat ik binnenkom. Oproep gemist, nummer onbekend, vermeldt het scherm. Als het belangrijk is, belt hij of zij vast nog wel een keer.

Ik zit een half uur achter mijn laptop, worstelend met een artikel over problemen rond de adoptie van Chinese kinderen, wanneer de telefoon weer gaat.

'Met Francesca,' zeg ik, met mijn gedachten nog bij de emoties van wensouders.

'Molenaar, recherche, afdeling Ernstige Delicten. Spreek ik met mevrouw Rizzardi?'

'Dat klopt.'

'Ik zou u graag willen spreken, op korte termijn als het u schikt.'

De overgang is groot, en ik slaag er niet in meteen te schakelen. Ik pijnig mijn hersens met de vraag waar dit over kan gaan.

'Als u me eerst eens vertelt hoe u aan mijn naam komt en waarover het gaat.'

'Een journaliste duikt niet toevallig midden in de nacht op bij een plaats delict, dachten wij. Daar willen wij u dus wat vragen over stellen. Komt u alstublieft naar het bureau. Of zal ik bij u langskomen? Dat kan ook.'

Ik ben perplex. 'Waar gaat dit over? Een plaats delict, zegt u?'

'U was vannacht toch getuige van een rel tussen Marokkanen, politie en ambulancepersoneel na een ernstig misdrijf?'

'Hoe weet u dat?'

'Dat vertel ik u straks wel.'

Ik zucht. 'Dat kan, maar niet nu. Ik wil eerst iets afmaken.'

'Dan kom ik naar u toe. Om half twee, schikt dat?' dringt hij aan.

'Als u erop staat.'

'Dat doe ik inderdaad.' Na een bevestigend antwoord op de vraag of hij mijn adres heeft, verbreekt hij de verbinding.

Het kost me nog meer moeite me op het artikel te concentreren. Anderhalf uur en een paar koppen koffie verder ben ik redelijk tevreden. Met een paar muisklikken verzend ik het artikel. Nog een kwartier om te lunchen. Snel smeer ik een paar boterhammen.

Een minuut of vijf later dan afgesproken wordt er aangebeld. Voor de deur staat een tengere man met vlasblond haar en een rond brilletje, dat hem een intellectueel uiterlijk bezorgt. Geen stoere speurder, maar iemand die met denkkracht zijn zaken oplost. Hij geeft me een stevige hand en neemt me zonder terughoudendheid op.

'Komt u binnen. Ik heb net thee gezet. Doe ik u een plezier met een kop?'

Ik wijs hem een stoel aan tegenover het raam. Daar kan ik hem het best observeren.

'Mag het ook koffie zijn? Met één schepje suiker graag.'

'Geen probleem.'

Terwijl ik in de keuken bezig ben, bestudeert hij waarschijnlijk het interieur en trekt zijn eerste conclusies over me.

'U hebt me nieuwsgierig gemaakt met uw telefoontje,' zeg ik als ik de koffie voor hem neerzet.

'En u ons door uw aanwezigheid op de pd vannacht. Twee personen hadden zich verdekt opgesteld tussen de struiken. Een van hen bleek een journalist te zijn die regelmatig in landelijke dagbladen publiceert. Dat u toevallig langsreed op de terugweg na een feest, zoals u tegen een van mijn collega's hebt gezegd, wil er bij mij niet zomaar in.'

'O nee? Heeft uw collega beschreven hoe ik gekleed was?'

'Naar zulke details heb ik niet gevraagd.'

'Dat had u dan beter wel kunnen doen. U zou me nog vertellen hoe u zo snel bij mij terecht bent gekomen.'

'Uw kenteken. Een collega heeft dat bij de pd genoteerd. De auto staat op uw naam. U bent minder onbekend dan u wellicht denkt. Op uw Twitterpagina vond ik niets over een feestje. Vandaar mijn nieuwsgierigheid.'

Ik ben verbijsterd. De politie volgt het doen en laten van mensen zo nodig via hun Twitteraccount.

'Als u mijn tweets goed hebt gelezen, moet het u zijn opgevallen dat ik alleen werkgerelateerde berichten plaats. Dat ik hier met u zit te praten onder het genot van een kop koffie zet ik er bijvoorbeeld niet op. Ook niet dat ik naar de kapper ga of naar een feest. Het is voor mij vooral een medium om aan nieuws te komen.'

'U blijft er dus bij dat u van een feest kwam en toevallig langs de bewuste pd reed.'

'Ja.'

'Tja. Weet u, ik geloof niet zo in toeval. Wij vermoeden dat u bent getipt en willen graag weten door wie.'

'Ik ben niet getipt,' zeg ik verontwaardigd. 'Als dit alles was, wil ik dat u nu vertrekt. Ik heb meer te doen vandaag.'

In plaats van op te staan roert hij in zijn koffie. 'Gaat u over deze zaak publiceren?'

'Misschien. Het hangt ervan af of er meer aan de hand was dan een dodelijke aanrijding door een beschonken automobilist.'

'Uw informatie moet wel worden geüpdatet. Fouad, de duopassagier, heeft een nieuwe verklaring afgelegd. Die dronken automobilist was een verzinsel om hem en zijn vriend vrij te pleiten.'

Om zijn mond speelt een glimlachje, zo van: aardig hè, dat ik dit vertel? Zou hij soms denken dat ik daar gevoelig voor ben? Een andere reden om me ongevraagd van informatie te voorzien kan ik zo snel niet bedenken.

'Hoezo, vrij te pleiten? Waarvan?'

'Van straatroof. Het tweetal had kort voor het ongeluk een laptop uit een auto gejat. De bestuurder pikte dat niet, ging ze achterna en sneed ze van de weg.'

'Een diefstal uit een auto met bestuurder?'

'Die gasten reden langs en zagen op de achterbank een laptop voor het grijpen liggen. Zo'n kans wilden ze niet laten lopen. Fouad heeft dat ding uit de auto gegrist.'

'Heeft hij ook nog verteld wat ermee is gebeurd?'

Molenaar knikt. 'Het is uit zijn handen gevlogen en tussen de struiken beland. Daar heeft de bestuurder van de auto hem weer tussenuit gevist. Het verhaal is echter nog niet af. Nu komt namelijk uw rol in het geheel.'

'O?'

'Na Fouads nieuwe verklaring hebben wij aanvullend sporenonderzoek gedaan, toegespitst op het met struiken beplante stuk grond achter de heg waar u hebt staan toekijken.'

'Ja?'

'Klopt het dat u schoenen met hoge hakken droeg?'

'Ik kwam van een feest. Dan draag je zulke schoenen,' zeg ik snibbig.

'Uw bewegingen waren goed uit de sporen af te lezen,' vervolgt hij onverstoorbaar. 'Nadat u een tijdje had toegekeken – diepe indrukken van uw hakken op één plek – hebt u zich omgedraaid om weg te lopen. Maar voordat u dat deed hebt u zich gebukt om ergens naar te kijken of om iets op te rapen.'

Het cd'tje! Dat is dus afkomstig uit de laptop die Fouad uit zijn handen heeft laten vliegen. Mijn intuïtie heeft me niet in de steek gelaten. In dat geval heb ik wél bewijsmateriaal achterovergedrukt.

'Heeft een specialist in voetafdrukken ernaar gekeken?'

'Het viel simpel af te leiden uit een diepe indruk van de voorvoeten op één plek tussen de struiken.'

'Ik zag iets glinsteren, heb me gebukt om beter te kunnen zien wat het was en heb wat takken opzij gebogen. Het bleek de schuiflade van een computer. Niet interessant, dus heb ik die laten liggen.'

'We hebben hem gevonden. We vragen ons echter af of er niet nog iets lag. Volgens onze expert moet u zich, gezien de diepte van de voetafdruk, nogal ver voorover hebben gebogen.'

'Om goed te kunnen kijken, ja.'

'Naar iets anders dan dat laatje, want de neuzen van uw schoenen wezen niet die kant op.'

Ik hoor een triomfantelijke ondertoon.

'Naar een schijfje dat in dat laatje had gezeten soms? Als u dat hebt meegenomen, dan wil ik het graag hebben om de eigenaar van die laptop te kunnen opsporen.'

'Kon Fouad geen signalement van hem geven, of het kenteken van zijn auto, of letters daaruit?'

'Dat kon hij, ja, maar het levert geen dader op.'

'Merkwaardig.'

'Niet alles is wat het lijkt, mevrouw Rizzardi. Politiek gekleurde beeldvorming ligt op de loer, met het risico van rellen.'

'Marokkaanse straatrovers op een scooter, Marokkaanse jongeren die ambulancepersoneel bedreigen, de ME die eraan te pas moet komen om de orde te handhaven. Dat zijn gevoelige items, ja.'

'Precies. Daarom willen we voorkomen dat een journalist halve waarheden publiceert of dat het signalement en het kenteken van de automobilist op straat komen te liggen.'

'We? Alsof rechercheurs van Ernstige Delicten zich met zulke zaken bezighouden.'

Hij kijkt wat minder zelfverzekerd.

'Orders van hogerhand, laat ik het zo zeggen. Bij een zaak als deze houdt de leiding een stevige vinger aan de pols. We hebben al eens te maken gehad met bedreigingen aan het adres van een vrouw die een Marokkaanse tasjesrover op een scooter doodreed.'

Hij pakt zijn kopje van tafel en neemt er een paar slokken uit. Nadat hij het heeft teruggezet kijkt hij me doordringend aan. 'Maar u hebt nog niet geantwoord op de vraag of u op de pd een cd hebt gevonden. Beseft u dat achterhouden van bewijsmateriaal strafbaar is?'

'Dat is mij bekend. Bewijsmateriaal, zegt u?'

Hij neemt me vorsend op, maar geeft geen antwoord.

'Oké, er lag ook een schijfje,' geef ik uiteindelijk toe. 'Dat heb ik opgeraapt, uit nieuwsgierigheid. Dat verhaal over die laptop kende ik toen nog niet. Ik kon dus niet weten dat het belangrijk zou kunnen worden, anders had ik het wel bij me gehouden.'

Hij trekt zijn wenkbrauwen op. 'U hebt het niet meer in uw bezit?'

'Ik heb het niet hier. U zult even geduld moeten hebben. Morgenochtend kom ik het u persoonlijk brengen.'

'Zodat u alle tijd hebt om te kijken wat erop staat en er een kopie van te maken,' reageert hij geërgerd. 'Dat kan binnen een uur, als het moet. Ook het tijdelijk achterhouden van bewijsmateriaal is strafbaar.'

'Ik heb het niet in huis, sorry. Ik heb het tussen de cd's in de auto gestopt omdat ik het zo snel nergens anders kwijt kon. Mijn vriend heeft de auto vandaag mee. Ik doe mijn best het u zo snel mogelijk te brengen. Vanavond kan ook, als u erop staat, na acht uur.'

'Dat komt me niet uit. Morgen, tweede helft van de ochtend. Lukt dat?'

'Om een uur of twaalf.'

Hij staat op en geeft me een kaartje met zijn naam, telefoonnummer en kamernummer op het politiebureau.

'We zien elkaar morgen, mevrouw Rizzardi. Waar komt die naam trouwens vandaan?'

'Uit Italië, Venetië om precies te zijn. Ik ben daar geboren en opgegroeid.'

Tijd om het gesprek rustig te overdenken krijg ik niet. Molenaar is net de deur uit als Mariella opbelt. We hebben afgesproken om vandaag verder te praten, maar ik heb er niet meer aan gedacht en mijn hoofd staat er nu niet naar.

'Sorry, Mariella. Ik heb het nogal druk. Morgen heb ik meer tijd. Vind je het goed om dan samen te gaan lunchen?'

'Gezellig. Hoe laat en waar?'

'Rond één uur. De plek spreken we morgen wel af, afhankelijk van het weer. Oké?'

'Is goed. Bel jij of bel ik?'

'Doe ik wel. Tot morgen.'

5

’s Avonds komt Sylvester tot mijn verbazing binnenvallen met een regionale krant die hij anders nooit koopt.

‘Voor het geval je het nog niet hebt gelezen.’ Hij slaat een arm om mijn middel, trekt me naar zich toe, geeft me een zoen en tikt met zijn hand op de krant. ‘Lees eens.’

VAN ONZE STADSREDACTIE, staat er met kleine letters boven het artikel. De naam van een journalist ontbreekt. WOEDE IN MAROKKAANSE GEMEENSCHAP, schreeuwt de kop. Daaronder, in iets kleinere letters: WAAROM WORDT DE DADER NIET OPGEPAKT? Het artikel is opgetekend uit de mond van Fouad en van de vader van Khalid, de omgekomen jongen. Fouad beweert dat hij een duidelijk signalement van de dronken automobilist heeft gegeven, met een beschrijving van diens auto, inclusief een letter van het kenteken, een K, van Khalid. De politie doet echter niets om hem te vinden en aan te houden omdat ze eraan twijfelt of de scooter is aangereden. Dat de dronkenlap is uitgestapt om hem een trap tegen zijn hoofd te geven, gelooft men al helemaal niet. De zaak houdt de gemoederen flink bezig, volgens de vader van Khalid. Het heeft ook een eeuwigheid geduurd voordat er een ambulance op de plaats van het ongeluk arriveerde. De ambulancebroeders zouden bovendien niet tot het uiterste zijn gegaan om het leven van zijn zoon te redden.

Naast het artikel staat een foto van een oudere man met diepe groeven in zijn gelaat en een verdrietig kijkende vrouw met een doek strak om het hoofd gebonden. *Ouders rouwen om zinloze dood van hun zoon,* staat eronder.

'Tendentieus. En het klopt niet,' zeg ik. 'De automobilist was niet dronken. Fouad heeft inmiddels een andere verklaring afgelegd tegenover de politie. Vreemd dat er niets bij staat over de grote groep jongens die vannacht zomaar opdook, en over hun opgewonden gedrag.'

Sylvester snuift minachtend. 'Dat past niet in het vertelperspectief van de schrijver. Onschuldige, zielige jongens, slachtoffers van desinteresse bij ambulancepersoneel en politie, omdat ze van Marokkaanse afkomst zijn. Jij had een genuanceerder artikel geschreven.'

'Wie zegt dat ik er niet alsnog over schrijf? Dat is me zelfs min of meer verzocht.'

'O ja?' Hij kijkt verrast. 'Door wie?'

'Ik vertel het je zo, bij een glas wijn.'

'Je doet alsof het iets bijzonders is.'

'Ik weet niet goed wat ik ervan moet denken,' zeg ik als ik hem even later heb bijgepraat.

'Bizar dat een rechercheur je van informatie komt voorzien om te voorkomen dat je verkeerde dingen publiceert.'

'Orders van hogerhand, zei hij.'

'Nog vreemder. Iemand is er blijkbaar veel aan gelegen dat er geen rellen ontstaan na wat er vannacht is gebeurd. Ze zijn natuurlijk bang voor Franse toestanden.'

'Overdrijf je niet?'

Hij haalt zijn schouders op. 'Misschien. Wat ga je trouwens met dat cd'tje doen?'

'Aan die rechercheur geven. Wil jij er even naar kijken? Misschien lukt het jou wel om de verborgen informatie zichtbaar te maken.'

'Dan moet ik een gebruikersnaam én een code kraken. Dat zie ik niet zomaar gebeuren. Maar ik zal het proberen.'

'Maak je er alsjeblieft meteen een kopie van? Ik ben niet zo handig in die dingen.'

Sylvester komt uit zijn luie houding overeind en rekt zich uit.

'Het cd'tje zit nog in mijn laptop,' moedig ik hem aan.

'Als jij intussen wat te eten klaarmaakt,' zegt hij met een grijns.

Het is zijn beurt om te koken en hij zou waarschijnlijk iets uit de vriezer hebben gehaald. Ik diep er daarom twee zakken tagliatelle met zalm uit op en verwarm de wok voor. Ik ben nog op zoek naar de olijfolie als Sylvester de keuken alweer in komt.

'En?'

'Op dat schijfje staan alleen foto's en een programmaatje. Zelfs al had ik de juiste inloggegevens, dan nog kreeg ik niet meer te zien dan jij.'

'O,' zeg ik terwijl ik een scheut olijfolie in de wok giet. 'Dat gedoe met *username* en *password* slaat dus nergens op?'

'Iemand die alleen dit cd'tje heeft kan er inderdaad niets mee.'

Ik hoor aan zijn stem dat hij iets heeft ontdekt maar het niet meteen wil zeggen. Geen probleem, ik speel het spelletje wel mee.

'Er ontbreekt dus iets?'

'Klopt.'

'Zeg nu maar wat, want ik heb geen idee.'

'Een internetsite waaraan deze bestanden gekoppeld worden door middel van het programma dat erbij staat. Via de foto's en de inloggegevens kom je terecht op een site waar je de rest kunt bekijken. Allemaal walgelijke smerigheid, ben ik bang.'

'Jij denkt dus ook aan kinderporno?'

'Wat zou het anders moeten zijn?'

'Foto's van een schoolfotograaf.'

'*Wishful thinking*, lijkt me. Waarom zou die zijn foto's op een schijfje branden en beveiligen met een code? Ik heb er een paar uitvergroot. Als achtergrond zie je steeds een lichtgroen vlak, van een geschilderde muur. Als je goed kijkt, zie je er een spijker in zitten. Daaromheen een vage rechthoek in een iets donkerder kleur. Daar heeft iets gehangen, een schilderij of een poster. Op twee foto's is de fotograaf niet nauwkeurig genoeg geweest. Hij is vergeten de rand van nog een lijst weg te retoucheren. Aan die muur hebben dus minstens twee lijsten gehangen. Ik heb nu tien foto's bekeken. Wie weet wat je ontdekt als je de andere ook bekijkt.'

'Mij lukte het niet om ze uit te vergroten.'

'Ik heb ze gekopieerd naar een fotoprogramma. Je ziet dan meteen dat de kwaliteit matig is. Vast geen beroepsfotograaf.'

'Denk je dat de politie er verder mee komt dan jij?'

Hij haalt zijn schouders op. 'Het hangt ervan af hoe goed hun deskundigen zijn. Criminelen hebben op het gebied van informatica maar al te vaak een voorsprong.'

'Hoezo criminelen?'

'Omdat normale mensen geen sites op internet verstoppen achter foto's van kinderen. Ik heb alles naar je laptop gekopieerd. Vertel voor de zekerheid aan niemand anders dat je dat cd'tje hebt gevonden. Ik vermoed dat je er beter maar niets mee te maken kunt hebben.'

'Dat klinkt wel erg stellig.'

'Internetsites die voor nieuwsgierige blikken verborgen moeten blijven, zorgen meestal voor ellende,' zegt hij.

6

Het belooft een mooie septemberdag te worden. De zon laat de rimpelingen op het water mediterraan schitteren en verlost de kade en de huizen erachter van de sombere uitstraling van de regenachtige dagen ervoor.

In de botenstalling onder de Berlagebrug treffen een jongen en een meisje voorbereidingen voor een dagje varen. Een plastic tas met badlakens, broodjes, een fles water en zonnepetjes liggen klaar op de steiger. Samen tillen ze een mahoniehouten kano uit een rek, dragen hem naar de rand van de steiger en laten hem geroutineerd in het water zakken. De jongen trekt de kano tegen de kant terwijl het meisje hun spullen opbergt in de voorpunt. Als ze ermee klaar is bedenkt ze zich, klapt het luikje open en haalt de petjes er weer uit. Ze zet er één achterstevoren op en drukt de andere op het hoofd van de jongen, die naar haar lacht.

'Ga er maar in zitten,' zegt hij.

'Zonder peddels komen we niet ver.'

Hij trekt een gezicht van: hoe kon ik díé nou vergeten?

'Ik haal ze wel,' biedt het meisje aan en ze loopt terug naar het rek waar de kano op lag.

Midden op de Amstel passeert een diepliggend vrachtschip. De jongen houdt de kano goed vast om te voorkomen dat de zuiging van het schip er vat op krijgt. Zijn vriendin is al terug met de peddels.

'Een van de waterkeerringen is weg,' meldt ze met een spijtig gezicht.

'Shit.' De jongen kijkt kwaad. 'Dat is de zoveelste keer dat zo'n ding eraf is gejat. Nu ben ik het zat. Hou jij de kano even vast.'

Hij komt uit zijn gebogen houding overeind zodra het meisje de kano vastheeft.

'Wat ga je doen?'

'Er zelf ook ergens een afhalen. Goed vasthouden hoor, de golven van dat schip zijn er bijna.'

Hij draait zich om en wil naar de rekken lopen. Dan begint zijn vriendin te gillen. Even denkt hij dat ze de kano niet kan houden, maar als hij zich omdraait ziet hij dat ze hem nog vastheeft. Maar hij ziet nog iets, en ook hij kan een kreet van afgrijzen niet onderdrukken. Door de zuiging van het vrachtschip is iets wat in het water dreef klem komen te zitten tussen de kano en de steiger. Het meisje laat de kano uit haar handen glippen, en het ding draait om zijn as. Vanuit een vaalwit gezicht staren kleurloze ogen in het niets. Dan wentelt het rond en krijgen de verstijfd toekijkende kanovaarders heel even zicht op een opgezwollen mannenlichaam.

Afgaand op het aantal bureaus dat er staat, deelt rechercheur Molenaar zijn kantoor met slechts één collega. Een agent bij de balie heeft me hierheen gebracht omdat ik weigerde de cd daar af te geven.

'Ik sta erop dit persoonlijk aan rechercheur Molenaar te overhandigen.'

Een telefoontje, daarna een instemmend knikje en een gebaar van: volgt u me maar.

'Dag, mevrouw Rizzardi,' zegt Molenaar met een innemende glimlach. 'U kon het niet laten om wat achter de schermen rond te kijken?'

Molenaars collega, een aantrekkelijke, kale man met een atletisch lijf, bekijkt me nieuwsgierig, staat op en geeft me een stevige hand. 'Blokker,' zegt hij.

Ik haal het schijfje uit mijn jaszak en geef het aan Molenaar. 'Zoals beloofd.'

'Staat er iets van belang op?' vraagt hij.

'Kijkt u zelf maar.'

'Hebt u al een artikel geschreven over het ongeluk?' wil Blokker weten terwijl Molenaar het cd'tje in de computer stopt en het bestand met foto's opent.

'Nog niet.'

'Wat moeten we daar nou mee?' vraagt Molenaar zich hardop af.

'Foto's van kinderen? Er zijn drie pagina's.' Blokker wijst naar de balk onder in het scherm. 'Bekijk de volgende eens.'

'Nog meer foto's.' Molenaar haalt zijn schouders op. 'Dit gaat ons niet verder brengen, vrees ik.' Automatisch schuift hij door naar de laatste pagina.

'Wat zei je?' Blokker staart verrast naar de foto van de man en de jongen.

'Verrek, dat is hem,' zegt Molenaar. 'En dat joch zou wel eens een Marokkaantje kunnen zijn. Dat maakt het er niet beter op.' Hij draait zich naar mij toe. 'U had geen beter moment kunnen kiezen om hiermee aan te komen, mevrouw Rizzardi.'

'O ja? Waarom?'

'Dat mag u wel weten. Het zal toch niet lang uit het nieuws blijven. Die man is vanochtend uit de Amstel gevist, bij de Berlagebrug. We zitten behoorlijk met dat lijk in onze maag.'

Blokker grijnst, om Molenaars woordkeuze, neem ik aan.

'Op de brug erboven stonden nogal wat toeschouwers. We gaan ervan uit dat er foto's van zijn gemaakt.'

'Dat lijk heeft minstens een kwartier op de steiger gelegen voordat het werd afgedekt. Grote kans dat er in de avondkranten al foto's van staan,' zegt Blokker.

'Foto's van een lijk worden niet gepubliceerd,' zeg ik beslist. 'Te onsmakelijk en het dient nergens toe.'

'We zullen zien. Rond zijn hals zat een strop van ijzerdraad en er was met een mes een stuk wit plastic op zijn buik vastgepind. *Allahu Akbar*, stond erop.'

'Alsof iemand de moord op Theo van Gogh probeert op te rakelen,' zeg ik gechoqueerd.

'Niet uitgesloten. Iemand probeert de familie van Khalid en hun vrienden deze moord in de schoenen te schuiven.' Molenaar staat op en maakt een rondje door het kantoor. 'Ik betwijfel ten zeerste of die er iets mee te maken hebben. We kunnen het alleen niet bewijzen, terwijl het bewijs van het tegendeel op die steiger ligt.'

'Wat heeft dat lijk dan met de aanrijding gisternacht te maken?' vraag ik.

'Die man heeft de twee Marokkaanse jongens van de weg gereden,' vertelt Molenaar.

'Ai. Dat maakt het gecompliceerder. Hoe heeft die Marokkaanse familie hem zo snel kunnen vinden?'

'Geen idee. Het lijkt ons onwaarschijnlijk. Dat zei ik al.'

'Wat is dan jullie probleem? Niemand weet toch dat het lijk uit de Amstel de man is die Khalid heeft doodgereden?'

'Degene die de tekst op dat briefje heeft bedacht, weet dat blijkbaar wel, mevrouw Rizzardi. We rekenen erop dat hij dat wereldkundig gaat maken. Met een uitbarsting van anti-Marokkanen- en antiislamsentimenten tot gevolg. "Marokkanen nemen het recht in eigen hand." Geweldig nieuws voor extreem rechts.'

'Een persconferentie of een persbericht?' suggereer ik.

Molenaar schudt zijn hoofd. 'Stel dat er toch geen foto's van dat lijk zijn gemaakt. Dan zou het dom zijn om extra aandacht op de zaak te vestigen.'

'Gaat u er iets over schrijven?' wil Blokker opnieuw weten.

'Dat weet ik nog niet. O ja, er is iets wat jullie nog niet hebben gezien. Klik eens op een van de foto's.'

Molenaar doet wat ik vraag.

'Verrek,' zegt hij opnieuw als het schermpje met USERNAME en PASSWORD verschijnt.

'Iets voor onze specialisten,' zegt Blokker. 'Hebt u een kopie van dat cd'tje gemaakt?'

'Ik ben journalist.'

Hij knikt. 'Publiceert u alstublieft geen zaken waar u niet honderd procent zeker van bent. Dingen kunnen zomaar uit de hand lopen.'

'Dat is niet mijn bedoeling.' Ik sta op en pak mijn tas. 'Ik kom er zelf wel uit. Prettige dag nog.'

Half een, zie ik op mijn horloge als ik het politiebureau uit loop. Mooi op tijd om met Mariella af te spreken.

Ik haal mijn telefoon tevoorschijn, open 'contacten' en kies voor 'zus'. Het scherm toont alleen haar mobiele nummer, geen fototje, ook geen e-mailadres. Van veel oppervlakkige vrienden heb ik meer informatie opgeslagen dan van haar.

Achteraf gezien heb ik spijt dat het zo is gelopen tussen ons, maar soms heb je geen grip op beslissingen die je neemt of op pijnlijke keuzes die je maakt uit medegevoel of uit solidariteit.

Het duurt even voordat Mariella opneemt.

'Hoi, Francesca. Waar spreken we af? Ik ben in de Buurt van het Rijks.'

'Ah, daar ben ik ook vlakbij! Zullen we gaan lunchen bij Palladium?'

'Helemaal goed.'

'Tot zo.'

Als mijn fiets tenminste niet is gestolen, schiet het door mijn hoofd als ik naar de muur kijk waar ik hem tegenaan heb gezet. Gelukkig, hij staat er nog. Iemand heeft er een knalgele huurfiets tegenaan laten vallen.

Over de Marnixstraat fiets ik naar het Leidseplein. Daar steek ik over, laverend tussen trams, bussen, taxi's, scooters en fietsers. Vlak bij Palladium ontdek ik een vrije plek in een fietsenrek. Ik zet er het voorwiel en het frame met een kettingslot aan vast en slenter naar het grand café. Het blauw van een tram bij de halte contrasteert vrolijk met de rode markiezen van de Stadsschouwburg. Toeristen met camera's op hun buik, backpackers, dagjesmensen, zakenlieden die zich naar een afspraak haasten, jongeren die niets anders te doen hebben dan wat rondhangen, het vertrouwde beeld op dit tijdstip van de dag.

In het café is het gezellig druk. Ik loop naar een vrij tafeltje bij het raam als ik Mariella zie aankomen. Ze heeft een brede glimlach op haar gezicht. Mijn zus van vroeger, zoals ik haar zo goed heb gekend.

'Hoi, zusje van me.' Een stevige omhelzing en drie zoenen. 'Ik ben zo blij dat we hebben afgesproken.' Ze hangt haar tas aan de rugleuning van de stoel en ploft neer. 'Wat wil je drinken? Ik trakteer.'

'Rosé graag.'

'Ik doe met je mee.'

Ze zwaait naar een ober, die meteen naar haar toe komt. Het heeft haar nooit moeite gekost om de aandacht van mannen te trekken. Als dat alleen met uiterlijk te maken had, zou mij dat volgens Sylvester net zo gemakkelijk moeten afgaan. We lijken erg op elkaar, met de rechte neus van onze vader, de hoge jukbeenderen van onze moeder, háár grijsgroene, amandelvormige ogen, zíjn aristocratische houding met háár slanke figuur en met kastanjebruine krullen als mix van háár blonde haar en zíjn donkere haardos. Mariella heeft blijkbaar iets wat ik niet heb; het zal haar uitstraling wel zijn, een andere verklaring voor haar onmiskenbare aantrekkingskracht heb ik niet.

'Je bent nauwelijks veranderd,' begin ik als ze de bestelling heeft opgegeven.

'Jij ook niet. Hier en daar ietsje voller misschien. Maar dat staat je goed.'

'Dank je. Toch sport ik veel.'

'Daar ben ik te lui voor. Voorlopig hoef ik niets te doen om slank te blijven.'

'Ja, ja. Je bent altijd al lui geweest,' zeg ik lachend. En gemakzuchtig, denk ik erachteraan. 'Heb je het druk gehad vandaag?'

'Valt tegen. De markt is slap momenteel. Eén bezichtiging, verder kantoorwerk, je kent het wel.'

Ik weet alleen dat ze een verkorte opleiding tot makelaar heeft gevolgd en dat ze vrij snel werk heeft gevonden bij een makelaardij.

'Moet je ook potentiële kopers adviseren?'

'Soms. Of hen helpen om een hypotheek rond te krijgen. Maar ik moet vooral huizen verkopen, omzet maken,' zegt ze met een grijns. 'En jij, nog steeds freelancer? Kun je daar een beetje van rondkomen?'

'Af en toe heb ik een uitschieter. Verder lukt het redelijk.'

'En je hebt Sylvester om bij te springen als het even wat minder gaat, toch? Ik wilde dat ik zo'n vangnet had. En nog een hartstikke leuke vent ook. Je boft. Hoe ben je hem tegen het lijf gelopen?'

'Op een feest. Een beetje kijken, wat flirten, hij vroeg of ik wilde dansen. Het klikte meteen. We hadden allebei net een relatie beëindigd en dat schiep een band.'

'Ben je gelukkig met hem?'

Typisch Mariella, heel direct. Zo zegt ze ook wel eens iets wat gemakkelijk verkeerd kan worden uitgelegd zonder dat het haar bedoeling is. Daar heeft mijn vader altijd de grootste moeite mee gehad.

'Je hoeft je om mij geen zorgen te maken. En dat vangnet probeer ik zo min mogelijk te gebruiken. En jij, ben jij gelukkig? Je was toch alleen op het feest? Geen man op dit moment?'

'Even niet.' De glimlach verstart. 'Sinds een half jaar.'

'Ik dacht dat je nog steeds met Daan was. Die heeft je toch geweldig opgevangen?'

'Hij had alleen niet in de gaten dat het op een gegeven moment niet meer nodig was. Een lieve jongen, dat is waar, maar een beetje té lief naar mijn zin. Dat wordt hinderlijk, snap je? Kort nadat ik bij Daan weg was viel ik als een blok voor Ricardo. Weer een foute man, en weer kwam ik er te laat achter.' Er glijdt een grimas over haar gezicht. 'Je wilt niet weten hoeveel moeite en energie me dat heeft gekost. Ik kreeg er wel mooie blauwe ogen van.'

We schieten allebei in de lach.

'Wees blij dat je van hem af bent.'

'Ben ik ook.'

'Mevrouw Rizzardi?'

Naast ons tafeltje staat een jongen van een jaar of zestien, pokdalig gezicht, een jack met capuchon, afgezakte spijkerbroek en Nikes met losse veters.

'Ja?' zeggen we tegelijk. We moeten weer lachen.

De jongen kijkt onzeker van mij naar Mariella. 'Ik moet dit aan mevrouw Rizzardi persoonlijk afgeven,' zegt hij dan.

'Maar je weet niet aan welke?' vraagt Mariella. 'En van wie moet je mevrouw Rizzardi iets geven?'

'Een verrassing, zei hij. Daarom wilde hij niet dat u hem zag.' Hij stopt een hand in zijn zak en haalt een envelop tevoorschijn. 'Hij wees op dit tafeltje, maar zei niet dat jullie allebei dezelfde naam hebben.'

'Hoe zag die man eruit?' wil Mariella weten.

De jongen grijnst. 'Hij zei al dat u dat zou vragen. Ik mocht niks zeggen, anders was de verrassing eraf.'

'Misschien heb je toch een aanbidder,' zeg ik grinnikend. 'Een geheime.'

'Geef maar hier.' Mariella steekt haar hand uit. 'Moet je op antwoord wachten?'

'Niet nodig. Ik moest meteen weggaan.'

'Heeft hij je betaald om dit af te geven?' vraag ik terwijl mijn zus de envelop openritst.

Hij knikt kort, draait zich om en maakt dat hij wegkomt.

'Wil hij een afspraakje?' vraag ik plagerig.

Ze schudt haar hoofd en fronst haar wenkbrauwen. 'Dit is niet leuk, Francesca. Het is een bedreiging.'

'Laat eens zien.'

Ze geeft me een slordig afgescheurd blocnotevelletje. *Vernietig bestanden. Geen verder onderzoek.* Eronder staat een strop getekend.

'Makelaars worden wel eens onder druk gezet om een pand beter te beoordelen of hoger te taxeren dan redelijk is,' hoor ik Mariella zeggen terwijl ik naar het papiertje staar. 'Maar zo'n bedreiging heb ik nog nooit gehad. Ik zou ook niet weten welk pand er wordt bedoeld.'

'Dit is niet voor jou bestemd en het heeft niets met huizen te maken.'

'Weet jij dan waar dit over gaat?'

'Ik ben bang van wel. En ik heb die bestanden al aan de politie gegeven.'

Ik vertel haar op gedempte toon over het cd'tje en het ongeluk.

'Ik zou doen wat daar staat. Waarom zou je jezelf in de problemen brengen? Degene die je dat briefje heeft gestuurd, weet dat jij die cd hebt meegenomen. Hij weet ook wie je bent,' zegt ze bezorgd.

'Een journalist die de inhoud van zijn cd heeft bekeken en daarna erg nieuwsgierig is geworden. Dat mag om de een of andere reden niet. Hij weet zelfs dat ik nu in Palladium zit.'

'Brand je er niet aan. Wat kan het jou schelen wat erachter zit.'

'Zolang ik dat niet weet blijf ik nieuwsgierig. Dat hoort nu eenmaal bij mijn beroep.'

'Wil je voor je beroep eindigen met een strop om je nek?'

Mijn hand met het papiertje erin trilt. Dit is veel ernstiger dan ik zo-even nog dacht.

Mariella neemt me onderzoekend op. 'Je bent bang, hè? Ik zie het aan je. Waarom ga je er niet meteen mee naar de politie?'

'Ik verwacht echt niet dat ze me op grond van dit papiertje gaan beveiligen.'

'Waarom niet? Degene van wie die cd was, is vermoord, en degene die het nu in haar bezit heeft wordt met de dood bedreigd. Dat lijkt mij een goede reden.'

'Misschien,' zeg ik met een flauw lachje. 'Maak je maar geen zorgen. Ik zal geen domme dingen doen.'

'Dat heb ik me ook wel eens voorgenomen. Alsjeblieft. Wat het ook is, kap ermee.'

'Zal ik doen. Zullen we het nu over andere dingen hebben? Ik denk dat ik volgende week naar Venetië ga. Wat wil je dat ik papa en mama ga vertellen?'

7

Op de fiets naar huis heb ik de ruimte om mijn gedachten de vrije loop te laten.

Wat was het heerlijk om na al die tijd weer eens uitgebreid met mijn zus te kunnen praten. Daar wil ik van nagenieten en even niet aan dat dreigbriefje denken.

Terwijl ik langs de vijver in het Vondelpark fiets mijmer ik over de tijd dat we nog met onze ouders in Venetië woonden. Ik speelde er met Mariella in de binnentuin van ons huis met de citroenboompjes, de heerlijk geurende oleander met zijn witte bloemen en de klimrozen die hoog tegen het huis groeiden. Op een keer – we zouden naar een feestje van mijn vaders werk gaan – bleef Mariella met haar nieuwe jurk aan de doorns hangen. Er kwam een enorme winkelhaak in en ze barstte in snikken uit omdat mama wel heel erg boos op haar zou worden. Ik ben toen naar binnen gegaan om het haar te vertellen. Ik herinner me nog goed hoe ze Mariella troostte en ons bij de hand pakte om snel samen een nieuwe jurk te gaan kopen. Mariella was toen vijf, ik zeven.

Hoe vaak hebben we zo niet met z'n drieën door de stad gezworven. Mijn moeder vond het leuk om ons van alles te laten zien en wij genoten ervan, zo klein als we waren. De drommen toeristen op de Rialtobrug, de prachtig uitgedoste gondeliers die onverwachts luidkeels konden gaan zingen, en de hoge zuilen met San Theodorus en de gevleugelde leeuw op het immense Piazza San Marco, waar de duiven altijd opvlogen als de klokken van de basiliek over het plein galmden, maakten op ons een overweldigende indruk. Het leukst vonden wij het *acqua alta*. Dan kwam overal het water uit de grond opborrelen, zodat we met laarzen aan de straat op moesten. Het plein voor de basiliek veranderde in een vijver waar we op vlonders overheen konden lopen. Soms fantaseerden we dat we op eigen houtje de stad in gingen. We namen dan een gondel over het Canal Grande en kochten in het winkeltje met carnavalsmaskers een gouden kattenkop met lange snorharen.

Het is er helaas nooit van gekomen. Mijn vader kreeg de kans om een filiaal van zijn bank in Nederland op te zetten en mijn moeder wilde graag een tijdje dichter bij haar ouders in Amsterdam wonen, zodat opa en oma ons wat vaker konden zien. En dus verhuisden we naar een etage in Amsterdam-Zuid. Daar keken we niet meer uit op onze prachtige binnentuin, maar op een drukke straat met veel verkeer, waar om de tien minuten een tram doorheen denderde. De vrolijk gekleurde gevels en de winkeltjes vol spannende snuisterijen maakten plaats voor huizenblokken van grijs uitgeslagen baksteen, een slagerswinkel en een buurtsuper.

Voor Mariella en mij was het een cultuurshock. De school waar mijn moeder ons naartoe bracht maakte het er niet beter op. Hij zat in een oud gebouw met grote, hoge lokalen waar we 's winters soms onze jas moesten aanhouden vanwege de kou. Op de gangen tochtte het altijd, waardoor we om de haverklap verkouden werden. Het ergste waren de toiletten. Je kon ze met je ogen dicht vinden door op de urinestank af te gaan.

Moeder had ons tweetalig opgevoed, maar ons Italiaans was toch stukken beter dan ons Nederlands. Bijles dus, na schooltijd. Nog langer in dat gehate gebouw.

We pasten ons ten slotte aan, werden lid van een hockeyclub, kregen vriendjes en vriendinnetjes, en hadden al voor de middelbare school onze taalachterstand ingehaald.

Onze ouders was de worsteling van Mariella en mij om erbij te horen niet ontgaan. Dat laten we niet nog een keer gebeuren, moeten ze hebben gedacht. Toen mijn vader na een paar jaar de mogelijkheid kreeg om terug te gaan naar Venetië, besloten ze in Nederland te blijven totdat wij onze middelbare school hadden afgemaakt. Uiteindelijk verhuisden ze pas definitief naar Venetië toen mijn vader vervroegd met pensioen ging.

Mariella en ik zijn heel lang erg close geweest. Het leeftijdsverschil speelde geen rol en we waren de beste vriendinnen. Onderling spraken we vaak Italiaans, omdat de klanken gevoelens en beelden uit onze vroege jeugd opriepen, denk ik nu. We maakten er soms een spelletje van om in het Italiaans over iemand die we niet mochten in diens bijzijn de meest vreselijke dingen te zeggen terwijl we er heel lief bij keken.

Pas toen ik in het examenjaar van het vwo zat en Mariella, aan wie studeren niet echt was besteed, al flierefluitend haar mavodiploma haalde, zijn we onverwachts snel uit elkaar gegroeid. Haar leven kantelde, draaide opeens om niets anders meer dan feesten, jongens en seks. Mij vond ze maar een grijze studiemuis.

Ze bezorgde mijn ouders meer kopzorgen dan ze ooit hadden gehad. Vooral mijn vader had grote moeite met Mariella's veranderde houding. Zolang alles in zijn optiek goed ging, liet hij de opvoeding aan onze moeder over. Hij bemoeide zich alleen met ons in de vakanties en op zondagen, die altijd begonnen met een bezoek aan de kerk. Verder was hij de man aan wie we ons kleed- en zakgeld moesten vragen en die ons een tweede keer op onze donder gaf als we rottigheid hadden uitgehaald, wat overigens zelden gebeurde.

En toen kwam die afschuwelijke dag waarop Mariella wegliep van huis. Ze was net zeventien geworden. Ze liet een berichtje achter waarin ze meedeelde dat ze met haar vriend naar het buitenland was vertrokken en dat ze meer dan genoeg had van het doodsaaie leven thuis. Ik herinner me het grauwe gezicht van mijn vader, zijn samengeperste lippen en zijn ingehouden woede. Mijn moeder was vooral verdrietig en ongerust; hij voelde zich ook in zijn ego aangetast. Op zijn werk had hij de supervisie over een paar honderd personeelsleden over wie hij, in zijn eigen woorden, een strikt maar rechtvaardig regime voerde. En uitgerekend zijn eigen dochter waagde het zijn autoriteit met voeten te treden.

Na bijna een jaar dook Mariella weer op, onaangekondigd, alsof er niets was gebeurd. Even was iedereen vooral opgelucht, zelfs mijn vader, en leken ze zich weer met elkaar te verzoenen. Tot bleek dat ze zwanger was en het kind wilde laten weghalen. Haar zwangerschap was al erg genoeg, maar een abortus was voor mijn gelovige ouders onbespreekbaar. Er waren andere mogelijkheden, in het uiterste geval afstaan voor adoptie, als ze het kind per se niet zelf wilde houden.

Het werd toch een abortus. Toen ze net achttien was geworden, na een zwangerschap van twaalf weken, is Mariella naar een kliniek gegaan zonder er een van ons over in te lichten. Voor mijn vader was dat de druppel en hij wees haar de deur. Mijn moeder en ik legden ons daarbij neer, ondanks onze twijfels.

Nu ik Mariella's beslissing een beetje begin te begrijpen, heb ik daar spijt van. De man met wie ze was weggelopen, bleek een crimineel te zijn. In het begin was ze zijn pronkjuweel. Ze werd door hem in de watten gelegd en ze leefde als een prinsesje. Tot ze zwanger raakte. Hij verweet haar dat ze te slordig was geweest met de pil. Ze moest het zelf maar oplossen, in poepluiers en zuigflessen had hij geen zin. Al snel werd ze ingeruild voor een andere schoonheid. Haar restte weinig anders dan de rol van verloren dochter. Ik begrijp nu dat ze niet via een kind aan die man wilde worden herinnerd. Maar hoe breng ik dat over op mijn ouders? Ik heb die missie wel op me genomen, maar ze gaat me misschien nog meer hoofdbrekens bezorgen dan dat stomme dreigbriefje.

Voor me doemen de stalen hekken naast de toegang op, een optische markering die de ontspannen, tijdloze rust van vijvers, bankjes en wandelpaden scheidt van de voortjakkerende stad die het park met een kakofonie van achtergrondgeluiden omringt. Een kort stuk, over de Schinkel, naar de plek waar vroeger het Andreas Ziekenhuis stond, en ik fiets alweer in het Rembrandtpark. Ze zouden een autovrije corridor moeten aanleggen, dan kon ik vanuit huis door het groen zonder gemotoriseerd verkeer het centrum bereiken.

Even later zet ik mijn fiets in de betonnen berging onder het flatgebouw en gun mezelf, nadat ik de post uit de brievenbus heb gehaald, het gemak van de lift.

8

Binnen zet ik meteen mijn computer aan. Terwijl het ding opstart, zet ik theewater op. Terug naar de computer en op internet nagaan of er al artikelen of foto's van het lijk uit de Amstel op nieuwssites staan. Ik surf langs nu.nl, nieuws.nl, laatstenieuws.nl, nos.nl.

Niets.

De sites met laatste nieuwsitems van de grote dagbladen misschien.

Ook niets.

Maroc.nl dan. Mocht er iets bekend zijn over een moord waar Marokkanen bij betrokken zouden kunnen zijn, dan staat dat daar beslist bij 'laatste nieuws'.

Geen woord.

Een berichtje op Twitter misschien, of een filmpje op YouTube? Ingespannen blijf ik zoeken, zonder resultaat.

Voor de zekerheid surf ik nog langs een site met vooral regionaal nieuws en stadsnieuws.

Niets. Wel een kop die mijn aandacht trekt vanwege de dramatiek die erachter schuilgaat. MEISJE VERMIST IN BINNENSTAD. Ik klik het artikel open. Er staat een foto bij van een meisje van vijftien dat tijdens het winkelen in het centrum op koopavond, gisteren dus, is verdwenen. Lianne Karsten, heet ze. Eronder staat een foto van het vriendinnetje dat haar is kwijtgeraakt toen ze in een pashokje een broek probeerde. Brigitte van der Meer, heet de vriendin.

Mijn handen worden klam wanneer ik naar haar foto staar. *Geen verder onderzoek* zoemt het door mijn hoofd. Probeer dat maar eens, als je dit op een presenteerblaadje krijgt aangeboden.

Voor de zekerheid vergelijk ik de foto met die op de cd. Ik heb me niet vergist. Het meisje dat me opviel omdat ze zo op Mariella leek toen ze jonger was, heeft nu een naam: Brigitte van der Meer.

Ik ga terug naar de nieuwssite en bekijk de foto van Lianne Karsten. Daarna ga ik weer naar de foto's op de cd. Daar staat ze, op de tweede pagina, onderste rij.

Bewegingloos blijf ik voor het scherm zitten. Brigitte heeft tegenover de politie verklaard dat haar vriendin Lianne was verdwenen toen ze uit het pashokje kwam. Ze kon haar daarna nergens meer vinden. Ze nam haar mobieltje niet op en kwam die avond niet thuis. Verbijstering, onbegrip en verslagenheid bij ouders en Brigitte. Lianne is een lief kind dat nooit problemen geeft en ze ook niet had, volgens de ouders.

Waarschijnlijk zouden de ouders van Brigitte hetzelfde zeggen als zij was verdwenen. Wat weten ouders tegenwoordig nog van wat hun dochters van vijftien uitspoken?

Ik sta op en loop naar de keuken om water in de theepot te gieten. Opeens komt alles in een ander perspectief te staan. De eigenaar van de cd waar beide meisjes op staan is vermoord en een van die meisjes is verdwenen. Dat kan geen toeval zijn. Achter die code bij hun foto zit ongetwijfeld allerlei smerigheid verborgen, en als er iets misgaat of als iemand uit de school dreigt te klappen, komen er meteen lijken voorbijdrijven.

Werktuiglijk schenk ik een kop thee in, pak een stroopwafel uit de verpakking, neem er een flinke hap van en loop terug naar mijn computer.

Met een wrang gevoel van voldoening realiseer ik me dat ik op dit moment meer weet dan Ernstige Delicten. Molenaar en Blokker hebben wel wat anders aan hun hoofd dan een verdwenen tienermeisje en ze zullen geen link leggen tussen Lianne, Brigitte en het lijk uit de Amstel. Ik zou wel eens de enige kunnen zijn die dat wel doet. Daar is Lianne echter niet mee geholpen. Dus moet ik direct Molenaar bellen.

'Mevrouw Rizzardi?' klinkt het vragend.

Hij heeft mijn 06-nummer in zijn telefoon gezet. Blijkbaar ben ik belangrijk voor hem.

'Zegt de naam Lianne Karsten u iets?'

Het duurt even voor hij antwoordt. 'Nee. Zou dat moeten?'

'Ze is gisteravond verdwenen. Een meisje van vijftien. Collega's van u zijn naar haar op zoek.'

'Dat zal best.' Het klinkt wat kregelig. 'Ik hou me bezig met moordzaken, niet met verdwenen tienermeisjes.'

'Ook niet als haar portret op een cd staat waarvan de eigenaar net is vermoord?'

Ik hoor hem snuiven. 'Hoe hebt u dat ontdekt?'

'Bij toeval. Ik las een artikel op internet waarin haar vriendin vertelt dat Lianne is verdwenen terwijl zij in een pashokje stond. Die vriendin heet Brigitte van der Meer. Haar foto staat ook bij dat artikel. Ik herkende haar van haar portret op die cd. Ze heeft een verklaring afgelegd bij uw collega's.'

'Ik zal uw informatie aan hen doorgeven. Zelf ga ik niet achter dat verdwenen meisje aan, dat is niet mijn afdeling. Of ik er verder iets mee kan weet ik nog niet, maar in elk geval bedankt voor uw telefoontje. We spreken elkaar nog wel. Een prettige dag verder.'

Hij verbreekt de verbinding voordat ik kan vertellen dat ik een dreigbrief heb ontvangen. Zijn reactie verbaast me een beetje. Die nodigt in elk geval niet uit om hem opnieuw te bellen. Een vermist meisje krijgt voor hem blijkbaar pas prioriteit als haar lijk is gevonden. Zijn collega's die zich met haar verdwijning bezighouden zullen wel alerter reageren.

Ik klik op het kopje 'contact' van de nieuwssite waar ik het artikel heb gevonden. De redactie is bereikbaar via een e-mailadres en een telefoonnummer. Het laatste maar, dat werkt het snelst. Al na één keer doorschakelen krijg ik de eindredacteur aan de lijn. Na een kort sociopraatje van collega's onder elkaar kom ik ter zake.

'Ik werk aan een artikel voor *De Telegraaf* over Lianne Karsten. Daarvoor wil ik Brigitte van der Meer interviewen.'

Even later kan ik het 06-nummer van Brigitte van der Meer op mijn memoblok noteren.

Ik rond het gesprek zo snel mogelijk af en toets dan direct het opgegeven nummer. Met een kort 'Brigitte' neemt ze op.

'Dag, Brigitte. Ik heet Francesca Rizzardi en ben journaliste. Net als jij maak ik me grote zorgen om je vriendin Lianne. Daarom wil ik een artikel schrijven over haar verdwijning.'

'Dat is al gebeurd,' reageert ze weinig toeschietelijk.

'Dat weet ik. Maar wanneer iemand is verdwenen, kan daar nooit genoeg aandacht aan worden besteed. Dat maakt de kans op een goede afloop namelijk veel groter,' houd ik vol. 'Jij bent Liannes vriendin, jij kent haar goed en jij weet...'

'Ik zit nog op school,' onderbreekt ze me. 'Je hebt geluk dat je in de pauze belt, en die is zo om.'

'Kunnen we na schooltijd niet iets met elkaar afspreken?'

'Ik heb alles al aan de politie verteld en aan een andere journalist. Wat heeft het voor zin om het allemaal nog een keer te vertellen?'

'Je verhaal heeft nog niet in een landelijke krant gestaan. Dan heb je meer kans dat iemand je vriendin van een foto herkent en de politie tipt dan met een artikel op een regionale nieuwssite.'

Ze blijft opvallend lang stil.

'Lianne is in Amsterdam verdwenen, dus waarom zou haar foto in het hele land moeten worden verspreid?'

Is ze gewoon dom of doet ze alsof omdat ze geen afspraak met me wil maken? Ik neem aan dat ze alles wil doen om haar vriendin snel terug te zien. Dan is het vreemd dat ze niet met me wil praten.

'Denk eens na, Brigitte. Als Lianne is ontvoerd, dan kan de kidnapper haar overal verstopt houden, zelfs in het buitenland. Wist je dat de eerste twee dagen na een verdwijning van cruciaal belang zijn? Wordt er dan een spoor gevonden, dan is de kans groot dat het slachtoffer snel weer terecht is; is er geen enkel spoor, dan loopt het vaak slecht af. Je wilt je vriendin toch snel terugzien?'

'Natuurlijk. Wat dacht jij dan?'

'Niet zo lang geleden heb ik een artikel geschreven over een kind dat was verdwenen. Dat heeft gewerkt, want het jongetje is levend teruggevonden.'

Ik leg de nadruk op 'levend'.

'Goed dan, ik zal wel met je praten. Waar wil je afspreken en wanneer?'

De vanzelfsprekendheid waarmee ze me tutoyeert en de rustige toon waarop ze haar vragen stelt maken me nog nieuwsgieriger.

'Zo snel mogelijk,' dring ik aan. 'Ik kom wel naar jou toe. Noem jij maar een plek.'

'Om half vijf bij mij thuis,' antwoordt ze prompt. 'Ik ben dan alleen.' Ze geeft me haar adres, in de Govert Flinckstraat, niet ver van het Sarphatipark. Met 'tot zo dan' verbreek ik de verbinding.

9

~

'Wil je na de les even blijven, Brigitte? Ik moet je spreken.'

Onwillig kijkt Brigitte naar mevrouw Tolhuis, haar lerares Nederlands en tevens haar mentor. Ze staat bij de deur haar leerlingen op te wachten.

'Waarom, mevrouw?'

'Dat vertel ik je straks.'

'Alleen als het niet te lang duurt, anders ga ik gewoon weg, hoor. Ik heb een belangrijke afspraak,' zegt ze beslist.

Mevrouw Tolhuis zal wel weer wat te zeuren hebben, over slechte cijfers of zo, of over haar houding. 'Je maakt de indruk dat het je allemaal niet veel meer interesseert, Brigitte. Daar maken we ons zorgen over,' luidde haar klaagzang de vorige keer.

Nou, het interesseert haar inderdaad geen bal, die debiele leerstof niet, dat waardeloze kutdiploma niet en al die fucking leraren niet. Waar bemoeit ze zich eigenlijk mee? Dat mens is niet van deze wereld, en van háár begrijpt ze al helemaal niets.

'Wat wil ze van je?' vraagt Wendy wanneer ze naar hun plaatsen lopen.

'Weet ik veel.'

'Volgens mij begint het op te vallen dat je 's middags vaak spijbelt. Ik heb al een keer gezegd dat je in de mediatheek zat te werken, dat je een repetitie moest maken, dat je naar de tandarts moest...'

Ongeïnteresseerd haalt Brigitte haar schouders op. 'Aardig van je. Ze hebben het anders nooit gecontroleerd. Dan had ik mijn moeder er wel over gehoord.' Ze gooit haar rugzak naast haar stoel en gaat zitten. 'Wat kan mij het ook schelen. Als ik maar om kwart voor vier weg ben.'

Ze steekt een middelvinger op naar Michael, die iets te lang naar haar laag uitgesneden shirt zit te gluren. 'Nog nooit een paar tieten gezien?' vraagt ze smalend.

Hij krijgt een rooie kop en kijkt snel de andere kant op.

'Bijna onmogelijk, met jou in de klas.'

Dat is Antony. Die krijgt ze niet zo snel uit balans met een sneer of een grove opmerking. Hij houdt zijn ogen nadrukkelijk op haar borsten gericht.

Geërgerd trekt ze de bovenkant van haar shirt omhoog.

'Als je wilt rukken, ga je maar op internet zoeken.'

Om haar heen wordt gelachen en er worden obscene gebaren gemaakt.

'Brigitte, Antony, ophouden en boeken voor je leggen,' beveelt de lerares.

Mevrouw Tolhuis heeft donders goed gehoord wat er is gezegd, maar vindt het kennelijk wel zo veilig om het niet te laten merken. Na schooltijd, als ze met z'n tweeën zijn, gaat ze haar de les lezen, dan durft ze wél, denkt Brigitte schamper.

In de klas vermindert het lawaai naar een voor mevrouw Tolhuis acceptabel niveau. Ze schrijft iets op het bord en geeft tussen de regels door een toelichting. Antony heeft dopjes in zijn oren gestopt. Zijn hoofd deint mee op de muziek. Wendy tuurt naar het schermpje van haar mobieltje, dat ze onder de tafel houdt. Haar duim glijdt in hoog tempo over de toetsen. Als ze haar sms'je heeft verstuurd, buigt ze zich naar Brigitte.

'Waar moet je nu weer heen?' fluistert ze.

'Gewoon, naar huis,' fluistert Brigitte terug.

Ze heeft Wendy wijsgemaakt dat ze af en toe poseert voor een fotograaf die een fotoboek over tienermeisjes maakt. Wel een beetje bloot soms, maar het betaalt goed. Vandaar dat ze merkkleding en dure schoenen kan kopen. Haar moeder mag er natuurlijk niets van weten, daarom bewaart ze kleren en schoenen in haar schoolkluis en in die van Wendy, die de spullen in ruil voor haar discretie mag lenen.

'Niet naar die fotograaf?'

'Ik durf niet goed,' verzint ze. 'Hij wil me helemaal naakt en ik weet niet of ik dat wel wil. Hij betaalt me er wel twee keer zo veel voor.'

Tijdens het fluisteren schermt ze met een hand haar mond af, zodat alleen Wendy het kan horen.

Wendy bekijkt haar jaloers. 'Pfff... Dubbel betalen... Hij vindt je vast een lekker ding.'

'Wendy! Opletten!' klinkt het streng.

Wendy trekt een schuldbewust gezicht. Ze wacht tot de lerares zich weer naar het bord heeft gedraaid.

'Als je niet naakt wilt word je nooit model, hoor. Kreeg ik maar zo'n kans,' zegt ze.

'Jij zou het dus gewoon doen?'

'Waarom niet? Ik zou alleen proberen er nog meer geld uit te slepen omdat het strafbaar is wat hij wil.'

'Wendy, Brigitte! Ik heb er schoon genoeg van. Brigitte, opstaan en hier vooraan komen zitten.' Mevrouw Tolhuis doet een serieuze poging streng over te komen.

Brigitte kijkt verongelijkt. 'Waarom ik? Iedereen zit toch te kletsen? En wij hadden het over het woord dat u net opschreef, "kwantitatief",' leest ze langzaam van het bord. 'Komt dat van die doe-het-zelfzaak, Kwantum?'

De twijfel is gezaaid. Mevrouw Tolhuis aarzelt, voelt waarschijnlijk dat ze al haar overredingskracht nodig zal hebben om Brigitte naar het voorste tafeltje te krijgen.

'Vooruit, blijf dan maar zitten. Het heeft er wel iets mee te maken, ja.'

Er volgt een uitleg die langs Brigitte heen gaat.

Wendy zit weer te sms'en en ze is niet de enige. Antony is zo sociaal geweest om een van zijn oordopjes aan zijn buurman te geven. Twee hoofden bewegen op hetzelfde ritme, dicht bij elkaar, als synchroonzwemmers tijdens de Olympische Spelen. Hun lerares ziet niets, hoort niets en draait haar lesje af. Nog even, en ze heeft zonder onherstelbare schade op te lopen het uur volgemaakt. Hoeveel zou die muts eigenlijk verdienen met dat blindemannetje spelen?

Wendy stoot haar aan en draait het schermpje van haar mobieltje zodanig dat Brigitte de tekst kan lezen. *Hey Wen, ff ritje maken zo?*

'Van Sam,' fluistert Wendy. 'Op zijn nieuwe scooter. Te gek!'

Een ritje dat niet tot de scooter beperkt zal blijven, als het aan Sam ligt. Brigitte wil er net iets dubbelzinnigs over zeggen als de bel gaat. De snelheid waarmee de schoolboeken in de tassen verdwijnen en iedereen het lokaal uit stormt, belet de lerares huiswerk op te geven.

'Succes met de preek, doei.' Wendy stuift als laatste de klas uit.

Geen plakkers, geen klasgenoten die zeuren om een hoger cijfer of die een klacht hebben over leraren die te veel huiswerk opgeven. Daar hebben ze echt geen tijd voor in verband met hun bijbaantjes. Binnen een minuut is het lokaal leeg.

Brigitte kijkt op haar horloge. Mevrouw Tolhuis heeft precies een kwartier om te vertellen hoe haar leven er volgens school moet uitzien. Dat moet genoeg zijn. Ze loopt naar voren en gaat tegenover de lerares zitten.

'Tja... Brigitte. Tijdens de leerlingbesprekingen is jouw naam een paar keer gevallen, en niet in positieve zin.'

'Hoe kan dat nou, mevrouw?' Ze trekt haar onschuldigste gezicht.

'Het zijn niet alleen je cijfers – die zijn aan de lage kant – maar het is vooral je houding. Het lijkt wel of je nergens belangstelling voor hebt.'

De klaagzang op herhaling. Meepraten, zeggen wat ze wil horen, een beproefd recept.

'Ik zit nooit te keten en ik word er nooit uitgestuurd. Volgens mij valt het dus wel mee.'

'Maar je cijfers vallen niet mee. Dit jaar laten we je misschien nog overgaan, maar volgend jaar, als je examen moet doen... Je wilt toch een diploma halen? Zonder diploma kom je nergens. Dat weet je.'

Haar ernstige gezicht illustreert het belang van die mededeling.

'Als je wat meer je best doet, moet je het volgens mij gemakkelijk kunnen allemaal.'

'Ik zal het proberen,' zegt Brigitte meegaand. 'Maar dat diploma, hè... Ze zeggen dat het niets voorstelt. Ik bedoel... Je krijgt er nergens een goed baantje mee, heb ik gehoord.' Stom, realiseert ze zich te laat. Nu rekt ze zelf het gesprek.

Mevrouw Tolhuis schrikt. 'Dat klopt niet, hoor. Je moet het zien als een toelatingsbewijs voor het mbo, want je gaat natuurlijk wel doorleren. Je bent pas zestien als je je diploma haalt.'

'En dan kun je wel een goede baan krijgen?'

'Weet je al wat je wilt worden?'

'Nee, nog niet, als het maar werk is waar ik een beetje mee kan verdienen.'

Het gezicht van de lerares ontspant weer. De suffe doos denkt dat ze vat op haar begint te krijgen.

'Wat kun je dan verdienen, per uur bedoel ik, als je hebt doorgeleerd?' gaat Brigitte verder.

'Daar gaat het jullie allemaal om, hè? In korte tijd veel geld verdienen. In elk geval meer dan gemiddeld, daar kun je op rekenen.'

'Hoeveel is dat dan? Honderd euro, tweehonderd?'

'Per uur?' Mevrouw Tolhuis kijkt haar verbijsterd aan. 'Dat verdienen alleen toplui, advocaten beginnen daar geloof ik mee.'

'O ja. Dat heet honorarium, hè?'

Inwendig lacht ze zich rot. Die doos heeft echt niet in de gaten dat ze wordt gefokt. Ze besluit er nog een schepje bovenop te doen.

'En wat verdient een leraar, mevrouw?'

'Zou je leraar willen worden?'

'Wie weet. Ik vind het wel leuk om mensen ergens mee te helpen.'

'Nou, het minimumloon ligt, dacht ik, op iets meer dan negen euro per uur. Een beginnende leraar krijgt ongeveer twee keer zo veel.'

Het lukt Brigitte nauwelijks haar gezicht in de plooi te houden. Zíj kan tig keer zo veel krijgen, zonder jaren op een suffe school te hebben gezeten. En ze is pas vijftien. Waar hééft dat wijf het dan over?

Ze werpt een blik op haar horloge. Kwart voor vier. Ze moet er nu snel een eind aan breien.

'Goed, mevrouw. Ik begrijp het en ik zal beter mijn best doen.'

'Lukt het thuis wel, met huiswerk maken en zo? Je woont toch alleen met je moeder?'

Brigitte onderdrukt een zucht. De thuissituatie. Daar beginnen mentoren altijd over als ze vinden dat het niet goed gaat.

'Mijn moeder helpt me met mijn huiswerk als ik erom vraag.'

'Nou, dat is goed nieuws.' De glimlach verschijnt weer. 'Ik hou je aan je woord, Brigitte, en ik zal bij mijn collega's een goed woordje voor je doen.'

'Dank u wel, mevrouw. Ik ga, hoor. Doei!'

Even later haast ze zich op haar fiets naar huis. Hopelijk lijkt die journaliste niet op haar mentor en gaat ze niet te lang door op het paskamerverzinsel. Als ze Liannes foto maar in een krant zet die door het hele land wordt verspreid. En deze keer mag háár naam niet worden vermeld. Praten met een journalist wordt haar één keer vergeven omdat zij en Lianne vriendinnen waren. Maar ze moet het niet nog eens flikken. Ondanks het warme weer huivert ze.

10

Brigitte woont in een portiekwoning op de eerste etage. Ze moet naar me hebben uitgekeken, want terwijl ik op de bel druk wordt de buitendeur al opengedaan. Via een smalle, met zeil beklede trap bereik ik een overloop. Brigitte staat me tegen de deurpost geleund op te wachten, een tiener zoals je ze overal in de stad tegenkomt: een topje, strakke spijkerbroek, zwartomlijnde ogen, lang haar, een nonchalante houding. De gelijkenis met Mariella is kleiner dan op de foto op de cd.

Ik glimlach naar haar en steek mijn hand uit. 'Dag, ik ben Francesca.'

Haar koele hand drukt licht de mijne.

'Kom binnen. Mijn moeder is net naar haar werk gegaan, dus we kunnen in de kamer gaan zitten.'

'Wat doet je moeder voor werk?'

'O, ze is schoonmaakster. Na kantoortijd mag ze de rotzooi van anderen opruimen,' zegt ze nogal misprijzend.

Ze gaat me voor naar een woonkamer met twee ramen die uitkijken op het drukke verkeer. Er staat een bankstel met versleten, bruine ribstof en een ouderwetse salontafel van eikenhout. Aan de muur ertegenover hangt een lcd-tv, naast het raam staat een houten eettafel met drie stoelen.

'Wil je soms wat drinken?'

De manier waarop ze 'soms' zegt, suggereert dat ze me het liefst 'nee' hoort antwoorden en dat ze me zo snel mogelijk weer de deur uit wil werken.

'Nee, dank je.' Ik zet mijn laptop op tafel en ga op de bank zitten. Brigitte maakt geen aanstalten om tegenover me plaats te nemen. Zittend op de vensterbank bekijkt ze me nieuwsgierig.

'Heb je dat ding altijd bij je? Kun je er soms gesprekken mee opnemen?'

'Ik kan hem als voicerecorder gebruiken, ja, als ik er een microfoon in plug, maar die gebruik ik niet vaak. Ik wil mijn mail kunnen ophalen en nieuwssites bezoeken als ik een paar uur van huis ben.'

'Je neemt dit gesprek dus niet op. Maak je dan wel aantekeningen?'

'Misschien. Eerst maar eens wat praten zodat ik je een beetje leer kennen.'

'Waar slaat dat op? Je wilt toch over Lianne schrijven en niet over mij? *Ik* ben niet verdwenen!' zegt ze verontwaardigd.

'Ik probeer alleen maar het ijs een beetje te breken. Mensen voelen zich niet altijd op hun gemak als ze worden geïnterviewd.'

'Ik voel me prima, hoor. Stel nou maar gewoon je vragen.'

En duvel dan weer op.

'Oké. Ik las dat je vriendin zomaar is verdwenen en dat raakte me. Ze is pas vijftien. De kans is groot dat ze slachtoffer van een misdrijf is geworden. Of denk jij wat anders?'

Ze gaat op een stoel tegenover me zitten en ontwijkt mijn blik.

'Ik zou niet weten wat ik erover moet denken. Dat heb ik ook al aan de politie verteld.'

'Jij kent je vriendin; jij weet of ze thuis ruzie had en daarom is weggelopen, of dat ze er met een vriendje vandoor is. Ze kan in handen zijn gevallen van een loverboy. Misschien heeft ze er jou iets over verteld. Er is zo veel mogelijk. Daarom vroeg ik of jij aan iets anders dacht dan aan een misdaad.'

Ze staart langs me heen naar buiten. 'Hoe vaak ga je die vraag nog stellen? Tot ik een ander antwoord geef soms? Ik dacht het niet. Je wilde meer over Lianne te weten komen zodat je over haar kunt schrijven. Toch? Daar kan ik wel iets over vertellen. Wat ik denk is niet van belang.'

Ik onderdruk een zucht. 'Dat zeg jij. Over Lianne dan maar. Jullie waren gisteravond in een winkel in de Kalverstraat kleren aan het passen.'

'Ik, Lianne niet. Zij wachtte buiten het pashokje. Toen ik eruit kwam was ze weg.'

'Wat dacht je toen?'

Ze fronst haar wenkbrauwen. Op haar voorhoofd verschijnt een rimpel. Even lijkt het erop dat ze opnieuw niet wil antwoorden.

'Nou, gewoon, wat raar dat ze niet even heeft gewacht.'

'Gewoon? Zo gewoon vind ik dat niet. Je gaat toch niet zonder iets te zeggen weg terwijl je vriendin iets aan het passen is? Heeft ze niet geroepen dat ze ergens anders kleren ging kijken?'

Haar ogen dwalen door de kamer. Ze zuigt haar onderlip naar binnen en schuift onrustig heen en weer.

'Hadden jullie ergens ruzie over gekregen?'

'Nee. Wat schiet je nou op met zulke vragen? Daar komt Lianne echt niet door terug, hoor.'

'Ik probeer me een voorstelling te maken van de situatie waarin je vriendin is verdwenen. De politie heeft zulke vragen toch ook gesteld, neem ik aan?'

'Alsof ze daar verder mee komen,' laat ze zich ontvallen.

'Waarom denk je dat?'

'Dat is toch heel simpel. Lianne is in die winkel verdwenen en heeft daarna niets meer van zich laten horen. Ze moeten daar dus beginnen met zoeken, met speurhonden of zo. Al die vragen brengen ze geen stap verder.'

'Vaak blijkt achteraf dat een verdwijning veel eerder opgelost had kunnen worden als iedereen alles wat hij wist had verteld. Daarom vraagt de politie door.'

Ze kijkt weer naar buiten, schuift ongemakkelijk op haar stoel.

'Ik vind het niet erg geloofwaardig dat Lianne is weggegaan zonder iets te zeggen, zonder sms'je of telefoontje. Als ze ergens anders heen is gegaan om kleren te kijken, dan had ze je dat echt wel laten weten.'

'Ik heb haar gebeld, maar kreeg meteen haar voicemail. De batterij van haar mobiel was leeg, denk ik. Heb je zo genoeg voor je artikel?' reageert ze nors.

'Nee, nog lang niet. Je hebt er dus geen idee van wat er met haar gebeurd kan zijn?' herhaal ik.

'Hallo, moet ik het soms voor je spellen? Zijn journalisten altijd zo vervelend?'

'Niet altijd, maar wel als iemand iets weet en niets wil zeggen. Lianne was je vriendin. Waar kenden jullie elkaar van? Van school?'

'Ze woont in een straat hierachter. Verderop is een snackbar. Daar hebben we elkaar ontmoet en zijn we vriendinnen geworden.'

'Komt daar wel eens een fotograaf om foto's van jullie te maken?'

De vraag overrompelt haar. Ze springt op en gaat voor het raam staan. Ik krijg medelijden met haar. Ze is nog maar een kind, heeft de emoties van een kind.

'Kom eens naast me zitten, dan zal ik je wat laten zien.'

Zwijgend doet ze wat ik vraag.

Ik klap mijn laptop open en zet hem aan. Daarna open ik het bestand met de portretfoto's en draai het scherm zo dat ze het goed kan zien. Vanuit mijn ooghoeken observeer ik haar. Met een hand voor haar mond staart ze naar de foto's.

'Hoe kom je hieraan?'

'Dat doet er niet toe. Zijn die foto's soms in die snackbar gemaakt?'

'Ik wil weten hoe je hieraan komt.'

'Dat vertel ik je als jij me zegt wat dit betekent.' Ik laat het schermpje met USERNAME en PASSWORD op haar foto verschijnen. 'Er moet meer te zien zijn dan alleen dit fotootje van jou.' Ik klik door naar de volgende pagina. 'En het is vast niet toevallig dat op een foto van je verdwenen vriendin hetzelfde staat.'

Met een ruk staat ze op en loopt de kamer uit. Ik hoor een deur dichtslaan, niet de buitendeur, hoop ik. Zal ik haar achternagaan? Niet doen. Dan raakt ze misschien nog meer van slag.

Ergens in huis wordt een wc doorgetrokken. Even later komt ze terug, met betraande ogen en zwarte vegen op haar gezicht.

'Heb je dat ergens van gedownload en heb je ervoor moeten betalen?'

Die vraag verwachtte ík niet.

'Betalen? Wie zou daarvoor willen betalen?'

Ze haalt haar schouders op. 'Weet ik veel. Als ik jou was zou ik vergeten dat dit bestaat.'

'Niet als het iets te maken heeft met de verdwijning van je vriendin. Kan dat?'

Een kort knikje. 'Misschien.'

'Waarom heb je het dan niet aan de politie verteld?'

'Heeft die deze foto's ook?'

'Volgens mij wel.'

'Dat wist ik toch niet. Trouwens... Dan had ik nog niks gezegd. Ze kunnen erachter komen dat ik heb gepraat. Niemand mag weten dat ik hierover iets tegen jou heb gezegd.'

Ze spreekt snel en ik zie angst in haar ogen.

'Beloof me dat je aan niemand iets vertelt. Alleen een foto van Lianne in de krant en dat ze is verdwenen. Mijn naam mag je niet noemen. Dat moet je beloven.'

Ze kijkt smekend.

In de gang klinkt schel de voordeurbel. Brigitte schiet overeind en loopt naar het raam. Ze gaat zo staan dat ze van buiten niet is te zien en gluurt door de vitrage naar beneden.

'Wendy, een vriendin van school.' Ik hoor een zucht van opluchting. 'Wil je alsjeblieft weggaan?'

'Doe ik.'

Er wordt opnieuw aangebeld, langduriger. Brigitte loopt naar de hal om open te doen. Ik klap mijn laptop dicht en ga haar achterna.

'Misschien tot een volgende keer,' zeg ik met een glimlach.

'Liever niet. Je komt er wel uit, hè?'

Op de trap passeer ik haar vriendin, die me nieuwsgierig bekijkt. Ik neem haar gezicht goed in me op. Wat lijken meiden op deze leeftijd toch op elkaar. Dezelfde soort kleding, dezelfde overdadige oogmake-up, dezelfde nonchalante houding.

In de auto kijk ik meteen of er van haar ook een foto op de cd staat, maar dat is niet het geval.

Sylvester is vroeger thuis dan anders, opnieuw met een krant.

'Moet je horen,' zegt hij. 'De journalist van dat stukje van gisteren kan er geen genoeg van krijgen.'

Hij geeft me de krant. MAROKKAANSE GEMEENSCHAP HOUDT ZICH IN luidt de kop. Dan een korte beschrijving van de begrafenis van Khalid, met foto's van zijn geëmotioneerde ouders en van Fouad, die zijn beste vriend voor eeuwig zal moeten missen. Ondanks alle aanwijzingen heeft de politie nog geen spoor van de dader. Een letter van diens kenteken is bekend, net als het merk auto, de kleur ervan en de naam van het hotel waar hij de nacht heeft doorgebracht. Fouad heeft een gedetailleerde beschrijving van zijn uiterlijk gegeven. Iedere privédetective moet in staat zijn hem binnen een dag op te sporen, maar voor de politie is dat te moeilijk. Hoe lang houdt de Marokkaanse gemeenschap het nog vol om lijdzaam toe te kijken?

'Wat zal die man schrijven als hij erachter komt dat de bestuurder van die auto intussen wél is gevonden, als lijk dan?' zeg ik.

Sylvester reageert nuchter op deze voor hem nieuwe informatie. 'Even een pilsje pakken. Jij een glas wijn?'

'Graag.'

'Brand maar los,' zegt hij wanneer we even later met onze drankjes op de bank zitten.

'Er gebeurde iets raars toen ik met Mariella in Palladium zat,' begin ik.

'O ja?' Hij buigt naar voren om zijn bierflesje te pakken.

'Een jongen bracht me een dreigbrief.'

'Wat zeg je nou?'

'Ik moet de bestanden op die cd vernietigen en mag er geen verder onderzoek naar doen. Als waarschuwing was er een strop bij getekend. En rechercheur Molenaar vertelde me dat vandaag het lichaam van de man die de Marokkaanse jongens heeft aangereden uit de Amstel is gevist, met een strop van ijzerdraad om zijn hals en een briefje op zijn buik. "Allahu Akbar" stond daarop.'

Sylvesters nuchterheid is op slag verdwenen. 'Zulke gekken moet je nooit tegenwerken. Doe wat ze zeggen. Waarom vertel je me dit nu pas? Je had me toch kunnen bellen?' zegt hij bezorgd.

'Midden in een bespreking met een cliënt zeker?'

'Je bent je toch dood geschrokken?'

'Op dat moment viel het wel mee. Pas toen ik erover ging nadenken. Het was ook zo bizar.'

'Bizar? Die lui houden je in de gaten. Ze wisten dat je in een tent bij het Leidseplein zat. Ze wisten dat je die cd hebt opgeraapt en mee naar huis hebt genomen. Alsof er een chip in zit met een gsm-zendertje.'

'Kan dat dan?'

'Dat voert wel erg ver. En toch weten ze waar dat ding is en wie jij bent. Ze zijn slim, Francesca. Laat het verder aan de politie over.'

'Toevallig kwam ik vanmiddag op een nieuwssite de foto tegen van het meisje dat zo op Mariella leek. Haar vriendin is verdwenen. En laat er van die vriendin nou toevallig ook een foto op dat schijfje staan.'

'Toevallig? Bij jou zijn zulke dingen geen toeval. Alsjeblieft, stop ermee,' herhaalt hij. 'Heb je de politie al over dat meisje verteld?'

'Meteen. En ik heb ook al met haar gepraat, bij haar thuis. Brigitte heet ze.'

Hij zet zijn flesje met een klap op tafel. 'Jezus, Francesca, denk nou eens aan je eigen veiligheid. Je neemt veel te veel risico.'

'Ze hoeven er toch nooit achter te komen dat ik dat meisje heb opgezocht?'

Ik lig al tijden te woelen en het lukt me niet om in slaap te komen. Mijn bezoek aan Brigitte en de ongerustheid van Sylvester blijven door mijn hoofd spoken. Ik breng niet alleen mezelf maar ook dat meisje in gevaar door met haar te praten. Waarom? Wat wil ik bereiken met dat speurwerk? Er een artikel over schrijven kan niet, want dan weet ik zeker dat de afzender van die dreigbrief zal reageren.

Er is een meisje van vijftien zomaar verdwenen. Zoiets grijpt me aan. Logisch dat ik erachter probeer te komen wat er met haar is gebeurd. Hopelijk helpt dat om haar op te sporen. En ik wil Brigitte leren kennen. Journalistieke nieuwsgierigheid? Een beetje wellicht, maar zeker niet alleen dat. Op een bepaalde manier vond ik haar aandoenlijk. Haar ontwijkende antwoorden, haar angst, haar opluchting omdat er een schoolvriendinnetje voor de deur stond en niet iemand van wie ze iets te vrezen had. Voor wie is ze zo bang dat ze informatie achterhoudt waardoor Lianne misschien kan worden gevonden? Want dat doet ze, daar ben ik zeker van. Maar ze wil ook dat er een foto van Lianne in alle kranten komt in de hoop dat ze wordt herkend. Tegenstrijdigheden waar ik geen verklaring voor kan bedenken. Ik ben er ook van overtuigd dat ze weet wat er achter de code bij de foto's verborgen zit. Waarom zou ze anders zo emotioneel reageren? Naaktfoto's of een filmpje, te downloaden van internet tegen betaling? Ze suggereerde zoiets. Hoe komt zo'n kind in die wereld terecht? Als er ook maar iets van waar is, dan zal ik alles doen om haar eruit te halen. Een meisje van vijftien doet dergelijke dingen niet uit vrije wil. Haar zwijgen is in feite een schreeuw om hulp, en die kan ik niet negeren.

Weer draai ik me om. Sylvester beweegt onrustig en maakt smakgeluiden. Natuurlijk begrijp ik dat hij zich ongerust maakt, en dat is heel lief van hem. Maar hij moet me ook de ruimte geven om mijn eigen beslissingen te nemen.

11

Voor de derde keer binnen een kwartier hoort Brigitte in haar tas het gedempte signaal van een binnenkomend sms'je. Als ze van dezelfde afzender komen, dan moet het wel belangrijk zijn.

Om haar heen klinkt voortdurend geroezemoes, soms aanzwellend, dan weer afnemend. Niemand lijkt het piepje te hebben gehoord, op Wendy na natuurlijk, die vlak naast haar zit en opkijkt. Brigitte trekt haar gezicht in een grimas en buigt zich opzij om haar mobieltje uit haar tas te halen.

Onder tafel bestudeert ze het schermpje. Als ze ziet wie de afzender van de berichten is, voelt ze het bloed uit haar gezicht wegtrekken. Ze haalt een paar keer diep adem en steekt dan haar vinger op.

'Even naar het toilet,' zegt ze tegen Draaisma, de leraar wiskunde. 'Ik voel me niet zo lekker.'

'Je ziet inderdaad bleek. Ga maar gauw.'

Terwijl ze door de lege gang loopt leest ze de berichten nog een keer. Alle drie van Toni. Een haastklus, ze moet meteen terugbellen.

Zittend op de wc-bril belt ze hem.

'Ik zit op school, hoor, dan zou je me toch niet bellen?' is het eerste wat ze zegt als hij opneemt.

'Daarom heb ik een sms'je gestuurd,' antwoordt Toni. 'Ben je niet blij dat je mijn stem weer hoort?'

'Eh... ja, maar ik dacht dat je nog in de gevangenis zat.'

Hij moet hard lachen. 'Gevangenis? Wat ze hier gevangenis noemen zou bij ons doorgaan voor een driesterrenhotel. Volledige verzorging, en je hebt rechten, heel veel rechten. Recht op verlof bijvoorbeeld, als iemand van je familie ziek wordt of als je vriendin een baby krijgt. Laat mijn vader nu opeens ernstig ziek zijn geworden.'

'Je hebt dus verlof gekregen. Voor hoe lang?'

'"Wat dacht je van drie maanden verlof, Toni? Lijkt dat je genoeg om je vader te bezoeken?"' zegt hij overdreven gearticuleerd.

Brigitte beseft dat hij maar liefst drie maanden op vrije voeten zal zijn en knijpt haar ogen dicht. Hij zal die tijd echt niet gebruiken om aan het bed van zijn vader te gaan zitten.

'En daarna moet je weer terug naar de gevangenis?'

Hij lacht smalend. '"We schenken je ons vertrouwen omdat we je niet vluchtgevaarlijk achten, Toni,"' vervolgt hij op hetzelfde toontje. '"Tot over drie maanden dan." Wat een sukkels. Ik heb hier en daar nog wat te regelen en dan ben ik vertrokken. Voorgoed. Jammer van al die prachtige regelingen hier, maar mijn eigen land is gelukkig mooier.'

'Je belt me toch niet om me dat allemaal te vertellen?'

'Nee. Ik wilde je stem weer eens horen, die heb ik gemist. Heb je mij ook gemist?'

'Af en toe,' houdt ze zich op de vlakte.

'Toe nou, schatje, na alles wat ik voor je heb gedaan. Die vreselijke oom Teun. Dat ben je toch niet vergeten?'

'Nee, natuurlijk niet. Ik ben je er hartstikke dankbaar voor.' Dat meent ze echt.

'Zie je wel. Wij hebben het altijd goed met elkaar kunnen vinden en wij vertrouwen elkaar. Daarom heb ik meteen aan jou gedacht.'

'Wat wil je dan van me?'

'Vertel ik je straks. Over een half uur, hotel Marilyn.'

'Ja, hallo, ik heb nog drie uur les. Het kan echt niet.'

'Het is wel echt iets voor jou. Dubbel tarief voor mij, en omdat het onder schooltijd is een vette fooi voor jou.'

Ze aarzelt. Dat voelt hij feilloos aan en hij praat snel verder.

'Als ze je goed vinden krijg je meer aanvragen. Daar hebben we allebei baat bij. Ik kan elke cent gebruiken om straks een eigen zaak te kunnen beginnen. Je laat me niet vallen, hè?'

'Meer aanvragen? Van wie?'

'Dat vertel ik je na afloop. Volgens mij ben je er geknipt voor. Nou, wat doe je?'

'Ik zal een toneelstukje moeten opvoeren om zogenaamd ziek naar huis te mogen gaan.'

'Dat kun jij als geen ander. Daarom heb ik jou uitgekozen. Je krijgt er geen spijt van, dat bezweer ik je.'

Waarom ook niet? Het is kiezen tussen een paar uur saaie lessen en nog saaiere klasgenoten, en snel wat geld verdienen. Een vette fooi. Dat gebeurt niet zo vaak.

'Goed dan. Tot straks.'

Terug in de klas kost het haar weinig moeite om Draaisma ervan te overtuigen dat ze erge buikpijn heeft en niet in staat is zijn les verder te volgen. Ze moet niet vergeten zich af te melden, drukt hij haar op het hart, en hij wenst haar beterschap.

Ze geeft Wendy, die haar ongelovig aankijkt, een knipoog en pakt haar tas in. Niks afmelden. Ze is van plan om zo snel mogelijk de school uit te glippen via de zijdeur die uitkomt op de parkeerplaats voor de leraren. De laatste twee lesuren wordt er zelden op absentie gecontroleerd, dus veel risico op een telefoontje naar huis is er niet.

De gang met de kluisjes is verlaten. Ze opent haar kluisje, haalt er haar zwarte laktasje en haar schoenen met hoge hakken uit en stopt er haar schooltas en haar sportschoenen in. Nog tien minuten, ziet ze op de klok in de hal, dan gaat de bel. Voor die tijd is ze weg. Ze doet het deurtje op slot en haast zich naar de zijdeur met haar schoenen in de hand. Buiten trekt ze die pas aan. Om het gebouw heen loopt ze naar de fietsenstalling. De kans dat ze buiten door de conciërge of een directielid wordt opgemerkt, is minimaal.

Even later fietst ze het plein af, de straat in, het bruggetje over. Een half uur, heeft Toni gezegd. Dat gaat ze redden.

Door de smalle straatjes en over de grachten slenteren toeristen langs coffeeshops, peepshows en een aantal nieuwe bedrijfjes die het imago van het Red Light District moeten opvijzelen. Ze duikt een steegje in en zet haar fiets op slot tegen de muur van het hotel.

Toni staat haar met een sigaret in de hand op te wachten.

'Mooi op tijd,' zegt hij goedkeurend en hij drukt zijn sigaret uit in een bak. 'Jammer van die hoge hakken. Je haar moet niet los maar in een staart en je lippenstift moet eraf.'

Diep in gedachten verzonken slentert Brigitte een uur later via de Nieuwendijk naar de Dam. Op de hoek, aan de rand van het plein, probeert een jongen met een gitaar een evergreen te vertolken. Een wazige figuur wiens muzikale wanhoopspoging meekabbelt op het stadsgeruis. De tram die verderop voorbijrijdt, is niet meer dan een blauw-witte streep die door haar bewustzijn wordt getrokken.

'Daar heb jij niks mee te maken. Bemoei je er niet mee, dan blijf je gezond,' heeft Toni gezegd toen ze vroeg of hij iets wist van Lianne.

Een waarschuwing. Goedbedoeld misschien, want hij lachte er breed bij. Maar toch.

'Lianne is een vriendin van me,' probeerde ze nog. 'Logisch toch dat ik wil weten waar ze is gebleven?'

Zijn blik was donkerder geworden, zijn stem dreigend. 'Een vriendin, zeg je? Ik heb altijd gedacht dat ze ook een vriendin van mij was, totdat ze aan de rechter vertelde dat ik haar gedwongen had om zich te prostitueren. Zoals ze dat woord uitsprak. Ze beweerde glashard dat ik haar had geslagen en had gedreigd haar armen te breken als ze niet meewerkte, net als die andere bitch, Stefanie. Zulke geintjes moet je Toni niet flikken, dan is het afgelopen en uit. Weet jij trouwens waar Stefanie uithangt? Het lukt me maar niet om contact met haar te krijgen.'

Ze weet niet waar Stefanie is, en als ze het wel had geweten, dan had ze het niet gezegd.

De toeristen, de duiven en de levende standbeelden schampen langs Brigittes netvlies terwijl ze verder loopt. Toni weet meer van de verdwijning van Lianne, daar is ze nu zeker van. Voordat hij werd gearresteerd maakte hij vaak ruzie met haar. Lianne wilde niet alles doen wat hij van haar vroeg, had hij Brigitte in een vertrouwelijke bui verteld. Wat dat precies was zei hij er niet bij. Lianne liet er ook niets over los toen hij haar een blauw oog en een dikke lip had geslagen. 'Maak dat je bij hem wegkomt, straks ben jij aan de beurt,' was alles wat ze kwijt wilde.

Het mobieltje in haar broekzak trilt. Nummer onbekend, leest ze op het schermpje. Ze drukt op de verbindingstoets.

'Met Brigitte.'

'Ik wil je nog iets vragen, Brigitte. Het kan belangrijk zijn om Lianne snel terug te vinden.'

Fuck, Francesca weer, die journaliste. Brigitte aarzelt. Toni's dreigende woorden klinken nog na in haar hoofd.

'Ik heb alles al verteld.'

'Dat heb je niet.'

Francesca's stem klinkt heel overtuigend. Ze had nooit met haar moeten afspreken. Zou die vrouw begrijpen dat praten wel eens niet goed zou kunnen zijn voor haar gezondheid, zoals Toni het zei?

'Ben je er nog?' hoort ze Francesca vragen.

'Ik luister.'

'Een paar vragen maar,' herhaalt ze.

'Doe je best. Ik zie wel of ik antwoord geef.'

'Dat begrijp ik. Ik wil óók nergens toe worden gedwongen. Weet je, ik heb me suf gepiekerd over wat er achter dat password op je foto verstopt kan zitten. Ik heb wel een vermoeden, en misschien kun jij me zeggen of daar iets van klopt.'

'Ik weet het ook niet precies.'

'Echt niet?'

'Lianne heeft er wel eens iets over gezegd, maar ik heb niet doorgevraagd. Echt, ik weet het niet. Wat wil je nog meer vragen?'

'Als je niet precies weet wat er achter die beveiliging zit, waarom reageerde je dan zo emotioneel?'

Brigitte zucht. Ze ontwijkt een voetganger die met oogkleppen op lijkt te lopen en gaat voor een etalage staan.

'Omdat ik aan Lianne moest denken, aan wat ze me erover heeft verteld, snap je?'

Francesca lijkt te snappen dat ze er beter over kan ophouden.

'Iets anders dan. Ik heb gezien dat de foto's van jou en Lianne op dezelfde plek zijn gemaakt. Waar was dat?'

'Ergens, ik weet het niet meer.'

'Een kamer met een lichtgroene muur, waaraan minstens twee lijsten hingen. Een ervan is weggehaald toen de foto's werden gemaakt.'

'Hoe weet jij dat nou?'

'Kwestie van goed kijken. Tegenover die muur is een raam. Dat zie je aan de lichtinval. Ik denk dat het een nogal ruime kamer is. Als je het niet meer weet, dan zullen specialisten van de politie er wel achter komen. Die kunnen foto's eindeloos uitvergroten en dan zien ze veel meer dan ik.'

'Alsof ze weten hoe alle kamers in Amsterdam eruitzien.'

'Ze beginnen met fotostudio's, daarna met hotelkamers. Ik zou er niet van opkijken als ze hem dan al hebben gevonden. Waarom zeg je het niet meteen, Brigitte? Je weet het natuurlijk best.'

Ze komt er zelfs net vandaan. Ze blijft zwijgen, maar het lijkt wel of die journaliste aanvoelt dat ze aarzelt.

'Waarom maak je het zo moeilijk om je vriendin terug te vinden? Elke dag dat het langer duurt, is gevaarlijker voor haar. Waarom zou je de politie een paar dagen langer laten zoeken dan nodig is? Allemaal kostbare tijd, verloren tijd, waar Lianne je niet dankbaar voor zal zijn.'

Brigitte slentert bij de etalage vandaan omdat twee jongens haar wat al te nadrukkelijk staan op te nemen.

'Alleen als je aan niemand vertelt dat je het van mij hebt gehoord.'

'Je naam mag niet in de krant, ik mag niet zeggen dat je me iets hebt verteld,' somt Francesca op. 'Waar ben je zo bang voor?'

'Dat wil je niet weten. Beloof je dat je nooit mijn naam zult noemen?'

'Beloofd.'

'Die foto's zijn gemaakt in hotel Marilyn, kamer 16. Meer zeg ik niet. Doei.'

Ze verbreekt de verbinding en stopt haar mobieltje terug in haar broekzak.

'Fuck off,' snauwt ze naar de twee jongens, die naast haar zijn komen lopen.

12

Ik kijk over mijn laptop heen naar buiten. In de verte stijgt een vliegtuig op en verdwijnt in de wolken. Op het balkon schuin aan de overkant geeft een oude vrouw plantjes water.

Wat nu? Meteen Molenaar bellen om te vertellen waar die foto's zijn gemaakt, besluit ik. Die informatie kan rechtstreeks naar Lianne leiden. Ze zou zelfs in dat hotel kunnen zijn.

Als ik hem uiteindelijk aan de lijn heb, breng ik hem zo kort en duidelijk mogelijk op de hoogte.

'Ik geef het direct door aan mijn collega's die zich met dat meisje bezighouden,' zegt hij zakelijk nadat ik ben uitgepraat.

'Voor uw moordonderzoek lijkt het me ook belangrijke informatie,' kan ik niet nalaten te zeggen.

'Dat zal dan wel blijken.'

Het klinkt weinig enthousiast. Hij wordt er kennelijk niet vrolijk van dat een journaliste hem telkens een stapje voor is.

'Hebt u al een artikel geschreven?'

'Nog niet.'

'Haast u zich maar niet. Tot nu toe hebben we dat verrekte briefje met *Allahu Akbar* uit de publiciteit weten te houden.'

In de krant van gisteren heb ik wel een berichtje gevonden over een lijk dat uit de Amstel is gevist, maar niets over de connecties met de aangereden Marokkanen, niets over een briefje dat met een mes op zijn buik zat gestoken.

'Ik ben met andere dingen bezig. Dat artikel komt wel als alles is opgelost.'

'Heel goed. We spreken elkaar binnenkort vast weer.'

Bijna vijf uur, zie ik als ik de verbinding heb verbroken. Sylvester heeft vanavond een nascholingscursus en is op z'n vroegst om elf uur thuis. Ik heb dus alle tijd om even een kijkje in hotel Marilyn te nemen. Die gedachte borrelde in me op toen Molenaar zei dat hij zijn collega's op dat hotel zou wijzen. Een hotel is voor iedereen toegankelijk en de zoektocht naar Lianne werk ik er niet door tegen. Je weet maar nooit of ik niet bij toeval tegen iets aan loop wat voor de recherche verborgen blijft.

Hoe langer ik erover nadenk, hoe meer het plan me bevalt. Waar staat dat hotel eigenlijk? Ik duik weer achter mijn computer. Een beetje hotel moet op internet te vinden zijn.

Het blijkt een tweesterren-lowbudgethotel. Veel backpackers waarschijnlijk. Geen plek waar ik gevaar zal lopen, lijkt me.

En die dreigbrief dan? Iemand wist precies waar ik was en wat ik deed. Stom. Ik heb Molenaar opnieuw niets over die brief verteld. Had ik dat moeten doen en om bescherming moeten vragen? Opnieuw voel ik er geen enkele neiging toe. Hij reageert telkens zo lauw dat ik er weinig heil van verwacht.

Ik sluit mijn computer af en loop naar de keuken om te kijken wat ik snel even kan eten en drinken. Een broodje kaas en een glas cranberrysap, daar moet ik het maar mee doen.

Hotel Marilyn is gevestigd in de rosse buurt in een oud pand, dat hard aan een verfbeurt toe is. Je zou er zo aan voorbijlopen, en enige luxe hoef je er zo te zien niet te verwachten. Een onopvallend bordje met de mededeling dat kamers per dagdeel kunnen worden gehuurd, duidt erop dat prostituees ook welkom zijn. De voordeur is wél pas in de verf gezet, want hij glimt me tegemoet, net als de goudkleurige letters boven het raam die het woord HOTEL MARILYN vormen.

Ik open de deur en kom in een halletje met een trap naar boven. Die loop ik op en ik kom uit op een met rood tapijt belegde ruimte. Links is een balie, vermoedelijk de receptie, rechts een trap naar de volgende verdieping. De balie is onbemand; wel staat er een belletje op.

Nieuwsgierig kijk ik om me heen, pak het belletje en laat het klingelen. Ergens boven slaat een deur dicht. Gedempte voetstappen komen naar de trap, en even later verschijnt er een man. Kort donker haar, zwaar postuur, gouden kettinkje om zijn hals en imposante tatoeages op zijn onderarmen; een wandelende cliché-patser, bij wie ik me, door zijn uitstraling, wat timide voel.

Hij neemt me onbeschaamd op, komt dan op me af en gaat breeduit voor me staan.

'Kamertje huren?'

Een brede grijns.

'Ik moet dan wel effe weten voor wie je werkt, schat.'

Zijn ogen glijden weer over me heen. Waarschuwend gaat zijn rechterwijsvinger omhoog. Hij kijkt gespeeld ernstig.

'Je doet dit toch niet solo, hè? Veel te link.' De vinger zwaait heen en weer. 'Maar je bent niet toevallig bij mij binnengelopen, neem ik aan. Kamerhuur plus dertig procent risicoverzekering, zeg maar gevarentoeslag. *Safety* voor jou, *business* voor mij. Eén belletje en ik ben bij je. Deal?'

Ik heb me tijdens zijn monoloog met toenemende ongerustheid afgevraagd waar ik aan ben begonnen. De man praat, ondanks zijn Amsterdamse vocabulaire, met een onmiskenbaar Oost-Europees accent, Pools, Roemeens, Russisch misschien? Voor mijn geestesoog zie ik Brigitte aan de hand van deze patser de trap op lopen, een beeld om van te rillen.

'Is er iets, schat? Je kijkt zo bescheten.'

Ik verzamel al mijn moed en haal mijn perskaart tevoorschijn. Ervan uitgaand dat hij kan lezen houd ik die voor hem op.

'Sorry, maar ik ben je schat niet en ik kom ook geen kamer huren,' zeg ik afgemeten. 'Ik ben journaliste en ik ben bezig met een artikel over het gemeentebeleid ten aanzien van de Wallen en de directe omgeving.'

Een volzin waarvan hij op zijn hoofd moet krabben.

'Het beleid is erop gericht prostitutie terug te dringen om plaats te maken voor kledingzaakjes en andere kleinschalige ondernemingen,' vervolg ik gedecideerd. 'En nu wil ik graag weten of uw business hier al negatieve effecten van ondervindt.'

'Luister eens, lieve schat. Ik heb andere dingen aan mijn kop. Kun je de buren niet gaan pesten?'

'Ben ik al geweest. Die zeiden dat ik hier wel antwoord op mijn vragen zou krijgen.'

'Ik ben in een goed humeur, daar heb je mazzel aan. En als je het graag wilt weten, deze tent loopt als een tiet, schrijf dat maar in dat stukkie van je. En nou ophoepelen graag.'

'Het is op dit moment anders best stil,' houd ik vol. 'Hoe laat begint het hier zo'n beetje vol te lopen?'

Hij zou me waarschijnlijk het liefst de deur uit gooien, maar blijkbaar beseft hij dat dat negatieve publiciteit kan opleveren.

'Oké dan.' Hij tovert zijn grijns weer tevoorschijn. 'Een volle maag wipt niet lekker, dat begrijp je. De klanten willen eerst uitbuiken. Over een uurtje zijn de meeste kamers hier wel bezet. Mag je allemaal van me opschrijven.'

'Mag ik intussen een paar van de kamers zien?' Ik haal mijn telefoon tevoorschijn. 'Ik wil graag een mooi plaatje voor bij mijn artikel.'

Zijn grijns is op slag weer verdwenen.

'Als je wilt zet ik er ook een foto van jou bij,' stel ik liefjes voor.

'Als je het maar uit je hoofd laat. De kamers stellen niets voor.

Een bed, sommige met bubbelbad, een wasbak, dat is alles. Niets voor een foto,' krijgt hij er beheerst uit.

'Ik heb anders gehoord dat kamer 16 veel luxer en ruimer is dan de rest, heel geschikt ook om foto's in te maken,' laat ik me ontvallen. Iets te ondoordacht, besef ik te laat.

Hij knijpt zijn ogen tot spleetjes en wrijft over zijn kin. Dan steekt hij toegevend een hand op.

'Ik wil je wel het een en ander laten zien, maar daar heb ik toestemming voor nodig. Even met mijn baas bellen, blijf hier maar wachten.'

Veel sneller dan hij is gekomen loopt hij de trap weer op. Ik hoor een deur dichtslaan. Wat nu? Maken dat ik wegkom zonder veel meer aan de weet te zijn gekomen dan Brigitte me heeft verteld, of wachten tot die pooier zo geïrriteerd raakt dat hij stomme dingen gaat zeggen? Hij komt de trap alweer af, met een opvallend effen gezicht.

'Je hebt geluk, schat. De baas heeft geen bezwaar tegen wat reclame in de krant, maar hij wil je zelf rondleiden.'

Hij perst er een vriendelijk lachje uit.

'Ik ben Nicolai. En jij?'

'Francesca.'

'Je zult wel even moeten wachten. Hij is met tien minuten hier. In de tussentijd mag ik je een drankje aanbieden, van het huis. Loop maar even mee naar boven, daar heb ik mijn eigen toko.'

Niet doen, dit is te gemakkelijk! Razendsnel maak ik een afweging. Als ik het niet doe, dan kom ik geen stap verder. Nu krijg ik een kans om meer te weten te komen over Brigitte en Lianne, mits ik het maar slim speel. De nieuwsgierige journaliste in mij wint.

Achter Nicolai aan loop ik de trap op, een gang in, met aan weerszijden kamers met een nummer in goudkleur op de deur. Kamer 16 ligt direct na de trap op een hoek. Ik moet me beheersen om de deur niet snel even open te doen.

Nicolai gaat rechts een kamer in. Er staat een tweezitsbank met een salontafeltje ervoor, ertegenover een lcd-tv. In een alkoof is een keukentje ingebouwd.

'Mijn oppasruimte. Wat wil je drinken, een biertje, colaatje of een mix?'

'Cola alsjeblieft. Werk je hier al lang?'

'Maakt dat wat uit?'

Het kost hem moeite om zijn gespeelde vriendelijkheid vol te houden.

'Zeker. Je zou Brigitte dan misschien kennen.'

De tweede stommiteit! Ik had haar naam nooit mogen laten vallen. Ik kan mezelf wel voor mijn kop slaan.

'Brigitte? Nee, ik ken geen Brigitte,' gromt hij. Hij zet een glas en een flesje cola voor me op tafel. 'Vraag het maar aan de baas.'

Ik schenk het flesje in één keer leeg en zet het glas dorstig aan mijn lippen.

'Is er iets met haar?' wil hij toch weten.

Hij observeert me op een manier die me helemaal niet bevalt.

'Niet iets waar jij je druk over hoeft te maken.' Met grote teugen drink ik mijn glas leeg. 'Je zou haar ontmoet kunnen hebben, dat is alles.'

Voel ik me nou licht worden in mijn hoofd? Iets in de cola? Ik heb het flesje zelf leeggeschonken in mijn glas.

'Een nieuw meisje soms?' hoor ik hem vragen. Zijn stem lijkt van verder weg te komen dan waar hij staat. Waarom draait hij opeens zo raar rond, net als de kamer?

Ik wil schreeuwen, maar er komt geen geluid. Het colaflesje was al open toen hij het op tafel zette, is het laatste wat door mijn hoofd flitst.

13

Moeizaam kom ik overeind en zet een paar wankele passen naar het aanrecht. De knop van de kraan probeert te ontsnappen als ik hem wil vastgrijpen. Bij de derde poging krijg ik hem te pakken en draai hem helemaal open. Ik duw mijn hoofd onder de straal en laat het water over mijn gezicht en in mijn mond lopen.

Wanhopig probeer ik wat orde te scheppen in de chaos in mijn hoofd. Waar ben ik? Wat is er gebeurd?

Ik moet me aan het aanrecht vasthouden om niet weg te zweven. Ik buig naar voren en houd mijn gezicht nog een keer onder het koude water. Gulzig slurp ik het naar binnen. De zwaartekracht krijgt weer grip op me, mijn benen zwabberen niet meer zo erg en het gonzen in mijn hoofd wordt wat minder.

Het is kwart over tien, zie ik op een wandklok. Mijn blik valt op een leeg colaflesje naast de spoelbak. Ergens begint me iets te dagen. Op het tafeltje bij de bank voor de spelende tv staat een leeg glas. Dat heb ik leeggedronken nadat een wandelende kleerkast het voor me had neergezet, met het colaflesje dat nu op het aanrecht staat.

Nicolai heette die vent. Waar zou hij nu zijn? In de buurt, want anders had hij de tv wel uitgezet. En dus kan hij elk moment terugkomen.

Een duizeling overvalt me weer. Ik vecht tegen de dreigende gewichtloosheid en de misselijkheid. Kokhalzend zet ik een paar stappen in de richting van de deur, zie kans de klink te pakken, druk hem naar beneden en laat me tegen de deur aan vallen. Die zou nu open moeten gaan, maar hij geeft geen millimeter mee. Op slot gedraaid, dringt ondanks de nevels tot mijn bewustzijn door. Wanhopig kijk ik om me heen. Ik moet hier weg, onmiddellijk, voor Nicolai terugkomt, al kan ik niet goed beredeneren waarom.

Schuin achter de tweezitter zie ik nog een deur. Die moet uitkomen in een kamer hiernaast. Zie ik het goed? Het beeld fluctueert, wordt wazig, verscherpt en flitst weer weg. Maar ik vergis me niet, er zit een sleutel in het sleutelgat. Dan neemt mijn instinct het over. Ik sta al bij de deur, draai de sleutel om en open hem. Erachter ligt een hotelkamer met een zwevend bed, halfgesloten gordijnen vol sterretjes en een deur die in zijn sponning lijkt te trillen. Met een paar stappen ben ik er en duw de klink naar beneden. Mijn hart slaat een slag over wanneer de deur meegeeft. Ik herken de gang waarop hij uitkomt, een gang zonder Nicolai deze keer.

Ik strompel de kamer uit en loop linksaf de gang in. De rode loper dempt mijn voetstappen. Achter een deur hoor ik opgewonden kreten. Aan het einde van de gang is een trap naar beneden.

Mijn voeten volgen automatisch dezelfde route als op de heenweg. Net op tijd kan ik me aan de trapleuning vastgrijpen om niet te struikelen en naar beneden te vallen.

Ik herken de balie. Het belletje waarmee ik Nicolai heb opgeroepen staat op dezelfde plek.

Mijn hoofd wordt wat helderder. Nicolai kwam van boven toen ik belde. Als hij daar nu ook is, dan kan ik zonder hem tegen het lijf te lopen via de trap naar buiten komen. Ik sta al op de bovenste tree als onder aan de trap een deur opengaat. Een man van middelbare leeftijd en een vrouw met een opvallend decolleté komen binnen. De man laat haar voorgaan. Ze slaakt een gilletje omdat hij handtastelijk wordt en loopt snel naar boven. Ik doe een stap opzij en staar versuft naar het stel.

'Alles goed?' vraagt de vrouw.

'Bezopen,' is het commentaar van de man. 'Kan zeker geen klant krijgen. Veel te mager, daar vallen mannen niet op.'

'Lukt het wel?' wil de vrouw nog een keer weten als ik voorzichtig de trap afdaal.

'Ja, hoor.' Mijn mond krijgt de klanken nauwelijks gevormd.

'Bezopen,' herhaalt de man. 'In welke kamer moeten we zijn, schatje?'

Ik hoor het antwoord niet meer. Opnieuw moet ik me vastgrijpen om niet van de trap te vallen. De laatste twee treden. Ik struikel en val tegen de deur. Toch zie ik kans om mezelf overeind te trekken en hem te openen.

Dan sta ik op straat. Diep adem ik de frisse buitenlucht in en doe een paar stappen. Weg moet ik, zo ver mogelijk weg van dit hotel, weg van die vreselijke Nicolai. Rechtuit lopen lukt me niet. Dan maar slingerend, van links naar rechts en weer naar links. Het voelt wel lekker. Ik strek mijn armen alsof het vleugels zijn. Zo speelde ik als kind vliegtuigje. Een gelukzalig gevoel overvalt me. De bomen worden roze en blauw, de huizen geel. Muziek schettert, violen snerpen.

Er stoot iets zo hard tegen me aan dat ik val. Mijn hoofd bonst ergens tegenaan. Dan glijd ik weer weg in het niets.

Het eerste wat ik zie als ik mijn ogen open is een gezicht, vlak boven het mijne. Er verschijnt een hand met een lichtje, dat irritant in mijn ogen schijnt. Ik kijk weg.

'Ze reageert weer.' Een mannenstem.

Ik sper mijn ogen open en draai mijn hoofd wat.

'Hebt u ergens pijn?' vraagt dezelfde stem.

Het gezicht krijgt vorm, mijn blikveld wordt snel breder. De man draagt een witte jas, om zijn hals hangt een stethoscoop.

'U hebt een aardige klap gemaakt, maar u hebt, voor zover we hebben kunnen vaststellen, niets gebroken.'

Ik draai mijn hoofd de andere kant op. Een vrouw in een wit uniform neemt me bezorgd op.

Ik lig in een ziekenhuis. De constatering is tegelijk schokkend en geruststellend. Dan ben ik namelijk aan Nicolai ontsnapt. In een flits schiet die naam me te binnen. Mijn hoofd bonst wel, maar ik voel me niet meer zweven.

Voorzichtig beweeg ik mijn handen, mijn armen, mijn benen. Het gaat probleemloos en ik voel nergens pijn.

'Ik heb geen pijn,' zeg ik. 'Alleen mijn hoofd bonkt.'

De arts knikt. 'Dat begrijp ik. U bent ermee tegen de straat geklapt. Er zit een stevige buil op.'

'U hebt geluk gehad dat de auto die u raakte zo rustig reed,' vult de verpleegster aan.

'Wat voor drugs had u gebruikt, als ik vragen mag?' wil de arts weten. 'U was nogal van de wereld.'

Mijn hersenen hebben de aansluiting met de werkelijkheid weer teruggevonden. Mijn bezoek aan hotel Marilyn, Nicolai, het flesje cola. Mijn geheugen slaagt erin het te reproduceren.

'Geen idee. Dat zou ik ook graag willen weten.'

'Hebt u zomaar wat geslikt? Heel erg onverstandig. Hoe komt iemand met uw beroep daartoe?'

Ik heb een ziekenhuishemd aan, realiseer ik me. Mijn eigen kleren zie ik nergens. Daar moeten ze mijn perskaart en mijn andere papieren uit hebben gehaald ter identificatie.

'Iemand heeft iets in mijn drankje gedaan zonder dat ik het in de gaten had.'

'Dan mag u van geluk spreken dat het zo is afgelopen,' zegt de arts. 'We hebben bloed bij u afgenomen en het meteen naar het lab gestuurd. U vertoonde een ander gedragspatroon dan we gewend zijn na een overdosis, dus willen we met zekerheid weten wat u kreeg toegediend.'

'Een overdosis?'

'Daar leek het in eerste instantie op, maar dan was u lang nog niet zo helder geweest als u nu bent.' Hij kijkt naar de verpleegster. 'Ik ga door. Handel jij het verder af?'

De vrouw knikt en wendt zich weer tot mij.

'Op het adres in uw papieren wordt de telefoon niet opgenomen. Is er iemand die we kunnen waarschuwen?'

Sylvester! Hij zal niet weten waar ik blijf en zich dodelijk ongerust maken, als hij al thuis is. Ik heb geen idee van tijd.

'Hoe laat is het?'

De verpleegster kijkt op haar horloge. 'Bijna half twaalf.'

'Dan zal mijn vriend nu wel thuis zijn. Wilt u hem alstublieft bellen en vragen of hij me komt ophalen?'

De vrouw schudt haar hoofd. 'U zult hier een nachtje ter observatie moeten blijven, tot we weten wat voor spul u hebt gebruikt. Met dit soort dingen mag je geen risico nemen.'

'Kan ik hem zelf bellen?'

Ze wijst op de telefoon naast mijn bed. 'Ga uw gang.'

14

Het is stil in huis, op het verkeerslawaai na dat dwars door de muren heen Brigittes slaapkamer binnendringt, een voortdurend zoemend insect dat zich in haar hoofd heeft genesteld, waar ze mee opstaat en mee naar bed gaat zonder zich ervan bewust te zijn. Behalve als er nare dingen door haar hoofd gaan spoken, dan manifesteert het insect zich door harder te zoemen. Ze krijgt er knallende koppijn van.

Met een gepijnigde uitdrukking op haar gezicht komt ze overeind, gaat op de rand van haar bed zitten en drukt haar handen tegen haar slapen. Haar ogen rusten op een poster die met plakband op het behang is bevestigd, van een aantrekkelijke, zwoel kijkende popster die maar een paar jaar ouder is dan zij.

Voorzichtig gaat ze staan en loopt naar de badkamer om een paracetamol te nemen. Terug in haar slaapkamer strekt ze zich weer uit op bed en staart naar het plafond. Er zitten bruine kringen in, getuigen van een lekkage bij de bovenburen. Haar moeder heeft er al twee keer een kwast met latex overheen gehaald, maar binnen een paar weken braken de roestbruine kringen er weer doorheen. Net als smetten op je verleden kun je ze tijdelijk wegpoetsen, maar ze zullen altijd weer door het camouflagelaagje heen breken, hoe dik dat ook is aangezet.

Rust, ze wil rust in haar hoofd, het helemaal leegmaken, maar dat lukt niet. Die journaliste blijft haar bezighouden. Waarom heeft ze tegenover dat mens haar lippen niet stijf op elkaar gehouden? Dan had ze nu rustig kunnen slapen.

Nee, juist niet, want als er iets ergs met Lianne gebeurt, zou ze zich heel haar leven verwijten blijven maken omdat ze iets heeft achtergehouden waardoor haar vriendin had kunnen worden gered. Toni rekent erop dat ze niemand iets vertelt. *Wij vertrouwen elkaar.*

Vertrouwen...

Wat betekent dat woord nog? Als kind vertrouwde ze haar ouders, zoals ieder kind dat doet, tot die vreselijke nacht, toen ze net elf was geworden.

Zoals zo vaak als iets haar eraan herinnert, worden haar gedachten erheen gezogen. Meestal heeft ze er geen verweer tegen en beleeft ze de nachtmerrie opnieuw, heel intens, als straf voor haar ongehoorzaamheid.

Wat was dat?

Met ingehouden adem luisterde ze naar de stilte van de nacht, die het verkeerslawaai tijdelijk overstemde. Iets moest haar hebben wakker gemaakt.

Daar was het weer. Voetstappen, alsof iemand over de overloop sloop.

Verstijfd van schrik bleef ze liggen en onderdrukte de neiging om haar hoofd onder het dekbed te stoppen. Haar ouders waren al naar bed, die slopen nu niet door het huis. Ze had hen naar hun slaapkamer horen gaan, een hele tijd geleden al, eerst haar moeder, daarna haar vader, die met veel kabaal de deur had dichtgegooid. Ze zouden wel weer ruzie hebben gemaakt omdat haar vader te veel had gedronken.

Weer een geluid, een bekend piepend geluid dat klonk als ze de deurknop van haar slaapkamerdeur naar beneden duwde.

De neiging om weg te duiken werd te sterk. Haar hart bonkte hevig en het zweet brak haar uit. Zo diep als ze kon kroop ze weg onder haar dekbed, een veilig holletje, waar niemand bij haar kon komen, ook niet degene die naast haar bed stond.

Er stond iemand naast haar bed!

Dat verraadde het kraken van de loszittende vloerplank, die zelfs haar niet zonder te protesteren kon dragen.

Ze durfde nauwelijks adem te halen en probeerde doodstil te blijven liggen. Als hij niet in de gaten had dat ze hier lag, ging hij vast vanzelf weg. Lang moest het niet duren, want ze kreeg het benauwd, zo benauwd dat ze zich moest beheersen om het dekbed niet weg te slaan en naar adem te happen.

Er werd iets boven op haar gelegd, iets dat over haar heen gleed.

Een hand.

Iemand controleerde of ze in haar bed lag. Ze stikte bijna van de angst en van de bedompte lucht onder het dekbed, dat langzaam van haar af werd getrokken.

Ze draaide zich naar de muur toe, trok haar knieën op en maakte zich zo klein mogelijk. Zo'n klein meisje zou toch niemand kwaad willen doen?

Ze kon wel weer ademen, maar de lucht stonk naar drank. Ze wilde schreeuwen, maar haar stem was bevroren.

Brigitte schrikt op van de klap van de voordeur. Haar moeder zal nooit eens rekening met haar houden. Oké, ze zal wel moe zijn omdat ze hard heeft moeten werken, maar dan kan ze de deur nog wel gewoon dichtdoen. Ze weet toch dat zij al in bed ligt op dit tijdstip.

Haar moeder doet het om haar dwars te zitten, dat weet ze zeker. Ze hebben de pest aan elkaar sinds ze haar moeder over papa vertelde en die haar niet wilde geloven. Daarna hebben ze er nooit meer over gesproken. Over sommige dingen zwijg je nu eenmaal, en dus zijn ze niet gebeurd.

Ze hoort haar moeder naar de keuken lopen, waar ze nog iets gaat eten. Er is wat over van het pak bami dat zíj uit de supermarkt heeft gehaald en dat ze niet in haar eentje op kreeg. Alleen eten is niet gezellig, maar minder erg dan samen met haar moeder aan de eettafel te moeten zitten, zoals op de dagen dat die niet hoeft te werken. Af en toe zeggen ze dan wel iets tegen elkaar, omdat je toch niet eeuwig je mond kunt houden. Over boodschappen doen bijvoorbeeld, waar altijd te weinig geld voor is, of over stofzuigen, háár taak, omdat haar moeder al genoeg schoonmaakt. Een enkele keer vraagt haar moeder iets over school, niet omdat het haar echt interesseert, maar omdat ze wil weten of school extra geld gaat kosten aan onderwijsbijdragen of aan boeken.

Haar moeder heeft alles gewoon laten gebeuren.

Vragen die Brigitte soms op de lippen branden slikt ze tegelijk met haar eten door. Wat heeft het voor zin ze te stellen? Ze krijgt toch geen eerlijke antwoorden. De leugen van de ontkenning is als een glazen scherm tussen haar en haar moeder geschoven: ze zien elkaar wel, maar kunnen elkaar niet bereiken en nooit meer in vertrouwen met elkaar praten.

Op het tafeltje naast haar bed klinkt het vrolijke melodietje van haar mobieltje. Lianne, is het eerste wat door haar heen schiet. Wie zou er anders op dit tijdstip kunnen bellen? Ze grist het van tafel, schuift het open en brengt het naar haar oor.

'Brigitte.'

'Wat heb je dat wijf allemaal wijsgemaakt?'

De zware bas van Toni klinkt dreigend en verwijtend.

'Wat bedoel je?' vraagt ze benepen.

'Kom op, Brigitte, speel geen spelletjes met me. Die journaliste natuurlijk. Wat heb je haar verteld?'

'Ze kwam me interviewen over de verdwijning van Lianne. Dat mag toch? Dan moet jij me maar vertellen waar ze is. Ik ben hartstikke ongerust. En wat denk je van haar ouders?'

'Je bent toch niet zo stom geweest om haar over ons hotel en kamer 16 te vertellen, hè? We hadden een afspraak, weet je nog?'

Zo heeft ze Toni nog nooit horen praten: kil, afstandelijk, alsof ze een vreemde voor hem is.

'Daar heb ik me aan gehouden,' zegt ze snel. 'Ze was al op de hoogte, en ze liet me een cd met foto's zien waar een code bij hoorde. Mijn foto stond er ook op en die van Lianne. Wat betekent dat allemaal, Toni?'

'Tering! Vervloekte journalisten. Je hebt mijn naam toch niet genoemd, hè?'

Toni windt zich niet alleen op, hij knijpt hem ook.

'Nee, ik heb toch beloofd dat nooit te zullen doen. Waar is Lianne, Toni? Als je iets weet, vertel het me dan, anders vertel ik de politie meer over haar.'

'Dat zou ik maar uit mijn koppie laten, kleintje, want dan ziet het er voor Lianne, en ook voor jou, een stuk slechter uit.'

Een klik, de verbinding is verbroken.

Ze laat zich achterover op haar bed vallen.

Dan ziet het er voor Lianne, en ook voor jou, een stuk slechter uit. Daarmee bevestigt hij wél dat Lianne nog leeft. Maar stel dat Toni erachter komt dat ze toch heeft gepraat? Er glijdt een koude rilling over haar rug. Ze had haar mond moeten houden.

Ze hoort haar moeder uit de keuken komen en naar het toilet lopen. Even later wordt er doorgetrokken.

Er komen steeds meer dingen in haar leven waarover niet mag worden gepraat, die allemaal niet zijn gebeurd en dus nooit in het riool kunnen worden weggespoeld. Hun stank blijft hangen en telkens als ze diep wil inademen om verder te gaan met haar leven, verstikken ze haar.

15

De volgende ochtend word ik wakker van geluiden op de gang: voetstappen, stemmen, gerinkel van kopjes en bestek.

Naast me staat nog een bed, maar dat is leeg. Wat een luxe, een kamer helemaal voor mezelf.

Het is half acht, zie ik op mijn horloge dat op het nachtkastje ligt. Dan heb ik ondanks alles aardig wat uurtjes geslapen. Mijn hoofd bonkt niet meer en ik ben niet duizelig. Ik kan ook weer redelijk helder denken, stel ik opgelucht vast. Gisteravond, tijdens het telefoongesprek met Sylvester, was dat nog wel anders. Het lukte me om hem uit te leggen waar ik was en hoe ik er terecht was gekomen; dat dacht ik tenminste. Maar hij kon me niet goed volgen, zei hij, en hij wilde het liefst direct naar me toe komen. Hij klonk zo vreselijk ongerust dat mijn hart er pijn van deed. Ik wilde ook niets liever dan zijn armen om me heen voelen na wat ik had meegemaakt. Het verhaal dat ik daarover probeerde te vertellen, klonk blijkbaar zo warrig, dat hij zei dat ik beter kon gaan slapen. Hij zou wel verder praten met mijn behandelend arts of iemand van de verpleging. Morgenochtend zou hij me komen ophalen, zodra het mocht. Dan moest ik alles nog maar eens vertellen. Ik ben na het telefoongesprek uitgeput in slaap gevallen.

'Ik voel me goed en wil zo snel mogelijk naar huis,' is het eerste wat ik zeg tegen de verpleegster die mijn ontbijt brengt.

'De dokter komt zo langs, mevrouw Rizzardi. Dat moet u met hem bespreken.'

Als ik mijn ontbijt op heb en op het punt sta mijn bed uit te gaan, komt de arts binnen. Hij pakt de kaart met de patiëntgegevens en leest hem zorgvuldig.

'Mevrouw Rizzardi. Goedemorgen. Hoe voelt u zich vandaag?'

Hij kijkt me over zijn leesbrilletje aan, vriendelijke ogen in een wat pafferig gezicht. Zijn dichtgeknoopte doktersjas kan zijn corpulentie niet verhullen. Niet gepast voor een arts, vind ik.

'Ik wil naar huis, ik voel me goed.'

'Geen hoofdpijn, geen duizelingen?'

'Nee.'

'Hebt u al naast uw bed gestaan?'

'Nog niet.'

'Probeert u dat dan eens.'

Ik sla de deken weg, laat me van het bed glijden en loop een paar stappen door de kamer. Ik ben nog steeds licht in mijn hoofd. De arts volgt mijn bewegingen nauwkeurig.

'En?' vraagt hij.

'Lijkt me geen probleem om naar huis te gaan,' zeg ik zo monter mogelijk.

'Wordt u door iemand opgehaald? En is er vandaag iemand bij u thuis?'

'Ik word in elk geval opgehaald.'

'Ik vind het niet verantwoord als u de rest van de dag alleen blijft. Ik zeg dit omdat u nogal gemene rommel hebt binnengekregen. In uw bloed zijn namelijk sporen aangetroffen van cocaïne en ketamine.'

'Ketamine?' Ik ga op de rand van mijn bed zitten. 'Nooit van gehoord.'

'Onze laborant kent het omdat hij er één keer eerder mee te maken heeft gehad. Een nogal gedateerde drug. Werd veel gebruikt in pijltjes voor verdovingsgeweren om grote roofdieren tijdelijk mee uit te schakelen.'

Ik zit hem verdwaasd aan te kijken. Een drug om grote roofdieren mee plat te krijgen?

'Het was versneden met cocaïne en is met een pijpje in uw neus geblazen,' gaat hij verder. 'Ik weet niet of u het hebt gemerkt, maar uw neus heeft nogal gebloed.'

'Het laatste wat ik weet is dat ik cola heb gedronken. Daar moet toch ook iets in hebben gezeten.'

'Een slaapmiddel. Ook daarvan zijn sporen gevonden. Dat spul is pas in uw neus geblazen toen u al buiten westen was. Het is een wonder dat u onder invloed van zulke middelen de straat hebt weten te bereiken.'

De arts neemt me onderzoekend op. 'Reken er maar op dat ze lang nawerken. Vandaar mijn voorzichtigheid. Weet u of vermoedt u wie u dat spul kan hebben toegediend?'

'Nicolai, een patser die in hotel Marilyn werkt.'

'Bent u daar zeker van?'

'Geen twijfel mogelijk.'

'Dan geef ik dat straks ook door aan de narcoticabrigade.'

'Wat is precies de werking van dat spul?'

'Ketamine werkt verlammend, maar schakelt de gebruiker niet volledig uit. Wel diens geheugen. Tijdens een trip kan iemand dingen doen of ondergaan zonder zich daar achteraf iets van te kunnen herinneren.'

Hij kijkt me doordringend aan. 'Weet u zeker dat u er meer over wilt horen? U zou het... eh... op uzelf kunnen betrekken en van slag kunnen raken.'

'Dat risico neem ik dan maar.'

'Goed. De laborant die ik net noemde heeft in de Verenigde Staten een zaak gevolgd van een verkrachter die zijn slachtoffers met dat spul bedwelmde. Een bijna onwerkelijk verhaal. Slechts één vrouw kon aangifte tegen hem doen omdat ze minder gevoelig was voor die rommel, eerder uit de trip kwam en zich van alles herinnerde.'

Hij plaatst de kaart met patiëntgegevens terug in de houder bij het voeteneind van mijn bed.

'Geen van de andere slachtoffers kon navertellen wat hij met hen had uitgespookt. Wel herinnerden de meeste vrouwen zich dat ze in een bizarre droomwereld angstige hallucinaties hadden gehad.'

Mijn nekhaartjes gaan overeind staan. Opeens herinner ik me een man in een rode mantel met een roofvogelmasker die achter me aan zat, en het Piazza San Marco vol dansende mensen met roze en groene gezichten. Ik heb ook gehallucineerd, en ik weet ook niet wat er intussen met me is gebeurd.

'Ze hebben die verkrachter uiteindelijk wel veroordeeld, begrijp ik.'

'Met dank aan de getuigenis van de vrouw die ik net noemde, en aan haar dieet met veel cranberrysap.' Op zijn gezicht verschijnt een vage glimlach.

Ik houd mijn adem in. 'Zei u nou cranberrysap?'

'Inderdaad. Door dat sap verzuurt urine namelijk veel sneller dan normaal en wordt ook de uitscheiding van ketamine uit het organisme versneld. Het brein van die vrouw werd daardoor minder beneveld en ze herstelde relatief snel.'

'Wat een verhaal,' is het enige wat ik erop weet te zeggen.

Hij knikt meelevend. 'Smerig spul. Dus geloof me, u kunt alleen naar huis gaan als u daar opvang hebt.'

Ik heb tijd nodig om zijn mededelingen te verwerken voordat Sylvester komt. Wat is me precies overkomen? Ik vond mezelf terug op een bank met mijn kleren gewoon aan. Ik heb kunnen ontsnappen voordat ik verkracht zou worden, met dank aan mijn blaasprobleempje. Hoe bizar.

Twee uur later ben ik thuis. Sylvester heeft me opgehaald uit het ziekenhuis en zit naast me op de bank met een kop koffie. Hij heeft een snipperdag opgenomen om me in de gaten te kunnen houden, in de goede zin van het woord. Ik moet me maar eens goed door hem laten vertroetelen, besluit ik.

'Ik ben op tijd ontsnapt, er is niets gebeurd,' zeg ik geforceerd luchtig. 'Die Nicolai moet hebben gedacht dat ik niet in staat zou zijn om weg te lopen.'

'Besef je wel wat hij allemaal met je had kunnen uitvreten?'

Dat besef ik maar al te goed. De gedachte bezorgt me rillingen. Maar nu wil ik er niet aan denken.

'Het was achteraf gezien niet zo'n handige actie,' geef ik toe.

'Wat ga je straks tegen die rechercheur zeggen? Dat je zo weinig vertrouwen in hem hebt dat je zelf maar speurdertje bent gaan spelen?'

Molenaar komt over een half uur. Na het gesprek met de arts heb ik hem opgebeld en hem globaal op de hoogte gebracht van mijn rampzalige bezoek aan hotel Marilyn. Hij reageerde ontstemd. Realiseerde ik me niet dat door mijn actie het onderzoek van zijn collega's in gevaar kwam? Wat bezielde me om op eigen houtje voor rechercheur te gaan spelen? Als ik weer thuis was wilde hij alles wat ik had meegemaakt nog eens gedetailleerd doornemen.

'Ik heb in korte tijd heel wat meer ontdekt dan hij,' werp ik tegen.

'Met het nodige geluk en door veel te veel risico's te nemen. Weet die man al dat je een dreigbrief hebt ontvangen?'

'Nee.' Ik trek een schuldbewust gezicht. 'Hij gaf me ook nooit echt de gelegenheid om het te vertellen.'

'Als je deze keer maar niets achterhoudt.'

'Waarom zou ik? En anders vul jij me maar aan. Jou heb ik echt alles verteld.'

'Niet dat je naar dat hotel zou gaan.'

'Je zat midden in een cursus. Ik kon je toch niet storen?'

'Had je me anders wel verteld wat je van plan was?'

'Waarom niet?'

Hij lijkt niet overtuigd, staat op en loopt naar de keuken om nog een kop koffie in te schenken.

Molenaar arriveert ruim voor het afgesproken tijdstip. Sylvester doet open en laat hem binnen. Ik hoor ze in de hal praten, maar kan niet verstaan wat ze zeggen.

'Dag, mevrouw Rizzardi.' Ik krijg een stevige hand. 'Dat was op het nippertje, begrijp ik van uw vriend.' Hij neemt me onderzoekend op. 'Uw ogen staan nog wat vreemd. Hoe voelt u zich verder?'

'Een beetje licht in mijn hoofd als ik loop. Verder gaat het wel.'

'Wilt u koffie?' vraagt Sylvester.

'Graag.'

Molenaar neemt tegenover me plaats en Sylvester gaat naar de keuken. Ik kijk hem afwachtend aan. Laat hij maar beginnen.

'U hebt dus een bezoekje gebracht aan hotel Marilyn. Wat had u daar precies te zoeken?'

'Voor de duidelijkheid: moet ik dit zien als een verhoor?'

'U beschikt over informatie die het onderzoek verder kan helpen. Die wil ik uiteraard horen.'

'Een verhoor dus. Ik hoopte tegen iets aan te lopen dat te maken had met dat verdwenen meisje, Lianne Karsten.'

'Het was handiger geweest als u dat aan de politie had overgelaten. U bent in dat hotel gedrogeerd, vertelde u. Weet u door wie?'

'Ja. Er loopt daar een kleerkast rond die meisjes moet beschermen als ze in de problemen komen. Nicolai heet hij. Die moet iets in mijn cola hebben gedaan.'

'U bent daar zo naar binnen gelopen, begrijp ik. Deed u alsof u een kamer wilde boeken?'

'Ik zei dat ik journalist was en een artikel over het nieuwe gemeentebeleid voor de Wallen wilde schrijven.'

'Maar uw nieuwsgierigheid werd niet op prijs gesteld. Nicolai doet iets in uw drankje, u raakt buiten westen en vervolgens kan hij u ergens dumpen. Dat zou een logisch scenario zijn geweest. Waarom dan die ketamine? Ik heb na uw telefoontje vanmorgen met uw behandelend arts gesproken. Ketamine dien je niet toe als je meteen van iemand af wilt.'

Ik huiver en kijk langs hem heen uit het raam.

'Kortom, het was hun bedoeling u langer vast te houden. U hebt domweg geluk gehad. Blijft de vraag wat ze met u van plan waren.'

Hij leunt achterover en neemt me scherp op.

'Weet u zeker dat u niet iets vergeet te vertellen?'

'Ik heb gevraagd of ik kamer 16 mocht fotograferen omdat ik had gehoord dat die heel geschikt was om foto's te maken. Nicolai werd op slag toeschietelijker, maar wilde eerst met zijn baas bellen om toestemming te vragen. Niet zo slim van me, achteraf.'

Hij knikt. 'Ze begrepen daardoor dat u meer wist dan goed voor hen was. Bent u nog iets over Lianne Karsten te weten gekomen?'

'Dan had ik dat als eerste verteld. Daarvoor ben ik tenslotte naar dat hotel gegaan.'

Sylvester komt terug en zet een kop koffie voor Molenaar neer.

'Een veel te groot risico, dat niets heeft opgeleverd,' zegt hij nog maar eens.

Dat kan leuk worden: twee mannen die me de les willen lezen. Ik zet me schrap.

'Een dreigbrief is blijkbaar niet genoeg om jou af te remmen,' voegt Sylvester er met een snelle blik op mij aan toe.

Het lukt Molenaar niet om zijn gezicht in de plooi te houden. Die vervloekte journaliste loopt me voor de voeten en nu blijkt dat ze ook nog eens belangrijke informatie achterhoudt. Ik zie het hem denken. Ergens heeft hij nog gelijk ook.

'Een dreigbrief? Van wie? Kan ik hem zien?'

'Ik heb hem weggegooid. Het is er gewoon niet van gekomen om u daarover in te lichten. Sorry.'

'Prettig om er tenminste naderhand iets over te horen,' zegt hij wanneer ik hem van de inhoud op de hoogte heb gebracht. 'Komen er nog meer verrassingen?'

'Ik kon toch niet voorzien dat het zo uit de hand zou lopen? In principe hou ik u op de hoogte.'

'In principe?'

'Als ik ertoe in staat ben.'

'Je wilt toch niet beweren dat je hier gewoon mee doorgaat, hè?' Sylvester kijkt al net zo ontstemd als Molenaar. Was de situatie minder ernstig geweest, dan was ik van die twee gezichten in de lach geschoten.

'Nee, hoor. Ik heb nog wel een vraagje. Dat mag ik toch nog wel stellen, hoop ik?' vraag ik met een lief lachje.

'Vraagt u maar.'

'Wat hebben die Marokkanen volgens u met deze zaak te maken? De man die de scooter heeft aangereden is vermoord, maar waarschijnlijk niet door Marokkanen. Ik ben in dat hotel geen Marokkaan tegengekomen. Of mis ik iets?'

'Die twee jongens waren op het verkeerde moment op de verkeerde plaats waar ze de verkeerde laptop stalen. Ongelukkig toeval, waarschijnlijk niet meer dan dat.'

'Dat lijk in de Amstel,' vervolg ik, 'weten jullie wie het slachtoffer is?'

'Hij heet Van Bladel, een gerespecteerde, katholieke geestelijke, die in Amsterdam was om lezingen te geven.'

'Hebben jullie zijn familie soms niet verteld dat er een briefje op zijn buik was geprikt? Dan zou dat toch via hen in de openbaarheid zijn gekomen. Zoiets extreems hou je niet voor je.'

'Het slachtoffer had alleen een zus, een non die in een klooster leeft. Ze reageerde uiteraard geschokt op dat briefje. Haar broer wordt vermoord en heeft op zijn buik een briefje dat de grootheid van de god van de islam verkondigt. Het druist in tegen alles wat haar heilig is.'

'Een geestelijke die een dergelijke cd in zijn bezit had. Verbijsterend.'

'Zeg dat wel. Van Bladel was in zijn parochie een geliefd man.'

Molenaar staat op en steekt zijn hand uit naar Sylvester. 'Dank u voor de koffie.' Met: 'Gaat u alstublieft niet opnieuw op speurderspad,' krijg ook ik een hand.

'Dat laat je nu toch wel uit je hoofd, hè?' zegt Sylvester als hij Molenaar heeft uitgelaten.

'In elk geval niet vandaag,' beloof ik met een schijnheilige glimlach. 'Vandaag laat ik me door jou verwennen.'

16

Met haar fiets aan de hand loopt Brigitte de fietsenstalling in, zoekend naar een lege plek in de rekken. Geen gedrang om haar heen, geen medeleerlingen die, geprogrammeerd door de dwang van de eerste bel, zich haasten om voor de tweede bel op hun plekje in de klas te zitten. Een van de meest gehate straffen is die voor te laat komen. Na drie keer te laat komen moet je je een uur voor het begin van de lessen melden bij de conciërge, bij de volgende keer hetzelfde, maar dan twee dagen achter elkaar.

Op haar gemak loopt ze naar de ingang. Deur door, rechts de balie waar ze zich moet melden.

'Brigitte van der Meer,' zegt ze tegen de vrouw die een heuse 'laatkomersadministratie' bijhoudt.

De medewerkster tikt haar naam in, de printer slaat aan om haar toegangsbriefje tot de les uit te spugen.

'Wacht eens even. Dit is al de vierde keer, je had je vanochtend vroeg al moeten melden,' zegt de vrouw bestraffend.

'Ja, en gisterochtend en de dag ervoor ook,' zegt Brigitte met een vermoeid lachje. 'Ik heb wel wat anders te doen. Als ik me niet meld draait de school gewoon door, dus wat maakt het uit?'

'Ik mag je zo niet doorlaten,' zegt de vrouw streng.

'Nou, dan niet, dan ga ik weer naar huis. Ik weet toch al niet wat ik hier kom doen.'

Abrupt draait ze zich om en loopt naar buiten, het geroep over spijbelen negerend. Zal ze naar huis gaan? Om tegen haar moeder aan te gaan zitten kijken zeker. De stad in dan maar. Wie weet loopt ze een bekende tegen het lijf met wie ze ergens wat kan gaan drinken.

Voor ze haar fiets van het slot haalt controleert ze of ze een oproep of een sms'je heeft gemist. Een sms'je van Toni! Opeens slaat de spanning toe. Snel opent ze het bericht.

Twee uur, achter hotel Marilyn. Verbijsterd staart ze naar het schermpje. Hoe durft hij, na zijn vervelende telefoontje van gisteravond? En hij weet dat ze niet opnieuw zo vroeg van school kan wegglippen. Dat ze nu toevallig spijbelt is haar zaak. Hij hoeft dat niet te weten.

Haar duim beweegt al over de toetsen van haar mobiel. *Fuck you. Eerst Lianne terug.* Nadat ze het bericht heeft verzonden, stopt ze haar mobiel weg, haalt haar fiets van het slot en rijdt het schoolplein af.

Voor ze de straat uit is, trilt haar mobieltje alweer. Ze stopt langs de stoeprand en haalt het tevoorschijn.

Een sms'je van Lianne. Eindelijk. Haar hart begint te bonzen terwijl ze het berichtje leest. *Doe wat T vraagt, please.* Dit is echt van Lianne. Ze zegt heel vaak *please*, en het klinkt altijd smekender dan nodig. Zij is zo iemand die haar zin toch wel krijgt.

Terwijl ze naar de woorden kijkt en zich afvraagt wat ze nu moet doen, komt er nog een berichtje binnen. Weer van Lianne. Een foto deze keer. Als ze hem heeft geopend, kan ze er alleen maar naar staren. Onwillekeurig doet ze een stap naar achteren, alsof ze aan het beeld wil ontsnappen. Haar fiets, die half tegen een amsterdammertje leunt, glijdt weg en klettert op de stoeptegels. Ze wil in elkaar duiken, zich zo klein mogelijk maken, ontsnappen aan de pijn en de vernedering. Tranen rollen over haar wangen. Het beeld vervaagt en maakt plaats voor een ander beeld.

'Dit is oom Teun, Brigitte. Kom eens gedag zeggen.'

Ze had helemaal geen zin om die vreemde man met zijn idiote snor en zijn rare pet op gedag te gaan zeggen.

'Ik wil film blijven kijken,' zei ze stuurs. Ze trok haar benen onder zich op de bank en hield haar ogen strak op het tv-scherm gericht. Haar moeder had, voor ze boodschappen ging doen, een dvd opgezet over grappige honden die allemaal dwaze dingen deden.

'Brigitte, hier komen! Of moet ik je komen halen?'

Zover kon ze het beter niet laten komen, dat had ze wel geleerd. Haar vader werd heel snel driftig als ze niet deed wat hij van haar verlangde, en dan sloeg hij haar, heel hard soms, zodat ze daarna niet meer kon zitten van de pijn. Eigen schuld. Aan je ouders mocht je namelijk nooit ongehoorzaam zijn.

'Geef oom Teun een kusje,' beval haar vader toen ze schoorvoetend naar hem toe liep. De onbekende man boog zich naar haar toe. Zijn snor kriebelde tegen haar wang, zijn hand aaide over haar hoofd. Hij rook naar pepermunt, heel anders dan haar vader, die bijna altijd naar bier stonk, of naar jenever.

'Mag ik nu weer film gaan kijken?'

'Straks. Ik zet hem zolang op pauze.'

'Wat een schatje,' zei Teun. 'Wil je een pepermuntje van me?'

Hij hield haar de rol voor. Ze schudde heftig haar hoofd.

'Ik wil niet,' durfde ze te zeggen.

'Hoor ik dat goed? Moet ik je soms weer vastbinden?' zei haar vader dreigend.

Nu moest ze oppassen en lief gaan doen, anders ging het fout.

'Ik voel me een beetje ziek,' bracht ze met een benauwd stemmetje uit. 'Buikpijn.'

'O, als dat alles is. Zeg, Teun, jij bent toch scheepsdokter geweest?'

Beide mannen moesten lachen, niet vrolijk of zo, eerder gemeen, zo voelde het tenminste.

'Gaat het wel, kindje?'

Ze kijkt in het bezorgde gezicht van een vrouw die een tas met boodschappen op de stoep heeft gezet en een hand op haar schouder legt.

'Eh... ja. Ik kreeg net een vervelend sms'je.' Ze tikt met een vinger op haar mobiel.

'Iets ergs met je vader of moeder soms?'

'Zoiets.' Ze probeert door haar tranen heen te glimlachen.

De vrouw knikt vol begrip. 'Wat naar voor je. Red je je wel?'

'Ja, hoor.' Brigitte zoekt in haar tas naar een pakje zakdoeken, snuit haar neus en dept haar gezicht droog. Ze heeft zichzelf weer onder controle. 'Het lukt wel. Ik schrok nogal.'

Ze bukt om het stuur van haar fiets te pakken en trekt hem overeind.

De vrouw pakt haar boodschappentas weer op. 'Nou, sterkte ermee.'

'Dank u wel.' Terwijl de vrouw verder loopt, probeert Brigitte de afschuwelijke foto uit haar hoofd te zetten. Lianne, naakt, aan armen en benen vastgebonden op een bed, haar ogen opengesperd, haar gezicht vertrokken van angst.

Het lukt niet om dat beeld kwijt te raken, net zoals het nooit zal lukken om de beelden die haar zo-even overvielen kwijt te raken, ook al meende ze die heel diep en heel veilig te hebben weggestopt.

Ze stapt op haar fiets en rijdt langzaam verder. Haast heeft ze niet, ze weet toch niet waar ze naartoe moet. Buiten Wendy was Lianne de enige met wie ze kon praten. Niet dat ze haar hart altijd bij haar uitstortte, maar er was tenminste iemand die naar haar luisterde, die belangstelling voor haar had.

Ze rijdt in de Utrechtsestraat, ziet ze, al kan ze zich niet herinneren hoe ze erheen is gefietst. Vaste route, automatische piloot, zoals veel dingen in haar leven. Helpt ze Lianne door te doen wat Toni van haar wil? Of moet ze de politie toch inlichten? Kon ze er maar met iemand over praten. Het is te moeilijk om zo'n beslissing alleen te nemen.

Die journaliste. Ze leek wel oké, misschien kan zij raad geven. Uiteindelijk wil die Francesca ook weten wat er met Lianne is gebeurd en zij wil haar ook terugvinden.

Ze haalt haar mobieltje weer tevoorschijn en zoekt bij 'ontvangen oproepen'.

17

'Slechte conditie, Francesca? Ietsje te veel gedronken en laat naar bed gegaan?'

Marije gaat langzamer lopen en kijkt me plagerig aan. 'Had Sylvester soms ook problemen om uit bed te komen?'

'Laten we daar even gaan zitten,' stel ik met een hoofdknik voor. 'Dan vertel ik het je.'

Terwijl we op een bankje zitten uit te hijgen, een handdoek om onze nek geslagen, drinkend uit een flesje mineraalwater, neemt ze me bezorgd op.

'Je ziet er niet florissant uit. Vertel, hoe komt dat?'

'Ik heb met een van de meisjes van die foto-cd gesproken.'

'Die heb je dus opgespoord. Knap. En daarom ben je nu in zo'n slechte conditie?'

'Dat heeft ermee te maken,' begin ik. In hoofdlijnen vertel ik wat me is overkomen. Wat de ziekenhuisarts me heeft verteld over dat proces tegen de ketamineverkrachter in de Verenigde Staten, houd ik voor me.

Marije is een geboren luisteraar. Ze onderbreekt me alleen als ze echt iets niet begrijpt. Ondertussen zit ze me rustig op te nemen, knikt op de juiste momenten, neemt eens een slok water en ziet kans me de indruk te geven dat het heel normaal is dat ik dit allemaal vertel.

'Wat een verhaal,' zegt ze als ik klaar ben. Ze is onder de indruk. 'Laten we nog een rondje lopen, dan kan ik het laten bezinken. Ik weet even niet wat ik moet zeggen.'

In een rustig tempo lopen we ons tweede rondje. Als we de splitsing naar onze flatgebouwen weer naderen, zie ik een man op een bankje zitten. Vergis ik me, of zat diezelfde man daar twintig minuten geleden ook al? Sportschooltype, een jaar of dertig, kort donker haar, net als Nicolai. Zo'n type zit niet een hele tijd op een bankje voor zich uit te staren.

'Wat doen we?' vraagt Marije. Ze staat stil om een slok water te nemen. 'Red je nog een rondje?'

Ik ben helemaal gefixeerd op de man, die is opgestaan en op ons af komt slenteren. Mijn hart klopt sneller dan tijdens het sprintje dat we net hebben getrokken. Begin ik paranoïde te worden? Ik ben samen met Marije, overal in het park zijn mensen. Die man loopt gewoon langs ons heen en we zien hem nooit meer terug.

'Is er iets?' vraagt Marije.

De man heeft ons bereikt. Mijn beenspieren staan gespannen om weg te kunnen rennen.

'Pardon. Weet je misschien hoe laat het is?' vraagt hij aan Marije.

Er verschijnt een innemende glimlach op zijn gezicht. Al zijn aandacht is op Marije gericht, ik lijk niet te bestaan.

'Ja, hoor.' Marije kijkt op haar horloge.

Dan gebeurt het. Zijn donkere ogen flitsen mijn kant op, snel beweegt zijn hand langs zijn hals. Als Marije opkijkt en 'kwart over drie' zegt, is zijn glimlach weer terug. Hij bedankt vriendelijk en loopt door.

'Lekker kontje,' zegt Marije, hem nakijkend.

Ik sta naar adem te happen, vecht tegen de paniek.

'Zag je niet wat hij deed?'

'Nee, hoezo?' Marije neemt me verwonderd op. 'Wat is er?'

'Toen jij op je horloge keek, liet hij de zijkant van zijn hand langs zijn keel glijden. Dat gebaar was voor mij bedoeld.'

Ongelovig draait Marije haar gezicht naar de man, die op zijn gemak van ons wegloopt. 'Vergis je je niet?'

'Nee. Ik wil naar huis. Die klootzakken weten precies waar ze me kunnen vinden,' zeg ik paniekerig.

'Kalm blijven. Misschien is het de nawerking van die drugs en ga je dingen zien die er niet zijn.' Beschermend slaat Marije een arm om me heen. 'Zal ik met je mee naar boven lopen?'

Misschien heeft ze gelijk en heb ik nog steeds last van hallucinaties. Ik wil echter niet toegeven aan mijn angsten, zo makkelijk krijgen ze me niet gek.

'Het gaat wel weer. Je hebt toch met je moeder afgesproken?'

'Die kan heus wel een kwartiertje wachten.'

'Ik red me wel. Die man is nergens meer te bekennen. Ik zal me wel vergist hebben.'

'Dat denk ik ook. Hij leek me best aardig, echt een lekkertje,' zegt Marije met een knipoog.

Ze heeft een paar maanden geleden haar relatie met Alex verbroken. Ik begreep er niet veel van, maar ik begrijp Marije de laatste tijd wel vaker niet. Ze flapt er regelmatig seksueel geladen opmerkingen over mannen uit en flirt zo ongegeneerd dat ik me soms doodschaam.

'Wanneer spreken we weer af?'

'Overmorgen? Ik bel je wel.'

Ik kijk haar na terwijl ze wegrent en loop dan naar de achteringang van het flatgebouw. Als ik de hal in stap gaat mijn mobiel over. Brigitte, zie ik. Ik heb haar nummer gisteren direct opgeslagen.

'Dag, Brigitte,' zeg ik zo monter mogelijk.

Ze is geen type voor inleidende praatjes en komt meteen ter zake.

'Je had gezegd dat ik je mocht bellen als ik je hulp nodig had.

Ik heb nu een probleem, een groot probleem.'

Ze praat gejaagd, is zo te horen flink gestrest.

'Vertel maar.'

'Niet door de telefoon. Kunnen we ergens afspreken?'

Ik aarzel. Waarom ook niet? Als ik het maar aan Molenaar doorgeef.

'Waar ben je nu? Op school?'

'Nee, bekijk het even. In de stad, vlak bij het Rembrandtplein. Ik weet niet wat ik moet doen, Francesca. Wil je me alsjeblieft helpen?'

'Waarmee? Heeft het met Lianne te maken?'

'Ook. Alsjeblieft. Zal ik naar je toe komen? Zeg maar waar je woont.'

Ze klinkt behoorlijk wanhopig.

'Ik kom wel naar jou toe. Ga maar op het terras zitten van De Jaren en drink iets voor mijn rekening. Ik heb ongeveer drie kwartier nodig om bij je te komen.'

'Dank je wel, Francesca. Tot zo,' zegt ze opgelucht.

Drie kwartier. Dat red ik alleen als ik me suf haast en dat lukt me nu niet zo goed. Ik loop naar de lift en druk op de knop. Terwijl ik wacht, zie ik vanuit mijn ooghoek dat er een man op me af komt lopen. Donker haar, blauwe ogen, breed, spijkerjasje aan.

De angst slaat me weer om het hart. Wegrennen! zegt mijn gevoel, maar ik krijg mijn benen niet van hun plaats. Laat hij alsjeblieft doorlopen naar de ingang van de boxen onder in het gebouw.

'Heb ik wat van je aan, schat?' zegt hij met een onvervalst Amsterdams accent.

'Nee, sorry, ik hield u voor iemand anders.'

'Kan gebeuren.'

De lift stopt, de deur gaat open. Hij laat me voor hem naar binnen gaan en staat daarna zo breed voor de dichtschuivende deur dat ik er onmogelijk langs kan als ik dat zou willen. Het zweet slaat me uit wanneer ik zie dat hij een riem in zijn handen heeft.

'Welke verdieping?'

'De vierde,' piep ik.

Hij drukt voor me op het knopje. 'Voel je je niet goed?' Hij neemt me vragend op.

'Eh... een beetje duizelig. Gaat zo weer over.'

De lift stopt, de deur schuift open. Hij doet een stap opzij. Ik mag eruit. Of is het juist de bedoeling dat ik hem passeer, zodat hij in het voorbijgaan de riem om mijn nek kan slaan?

'Voorzichtig aan, hè,' zegt hij terwijl ik aarzelend de lift uit stap. 'Mocht je hulp nodig hebben, ik woon op nummer 20.'

Ik mompel een bedankje. Zo snel ik kan loop ik naar mijn voordeur. Nicolai heeft het voor elkaar. Ik zie opeens overal soortgenoten van hem opduiken die me de stuipen op het lijf jagen. Niet bij stilstaan. Brigitte wacht op me, ik moet naar het Rembrandtplein.

Binnen trek ik mijn joggingoutfit uit en neem razendsnel een douche om het zweet af te spoelen. In recordtempo kleed ik me aan. Een jas is niet nodig, het is nog behoorlijk warm buiten. Binnen tien minuten sta ik alweer voor de lift. Aan de kabel die achter de ruit beweegt zie ik dat hij eraan komt.

Dezelfde man staat er weer in, met een grote hond aan zijn riem. Hij kijkt me verrast aan.

'Derde keer trakteren,' kan hij niet nalaten te zeggen. 'Even de hond van een vriend uitlaten. Gaat het weer?'

Ik knik en maak me uit de voeten zodra de lift is gestopt. Een paar minuten later fiets ik zo hard door het park dat mijn longen haast uit mijn lijf barsten. De wind suist om mijn oren. Ik knap ervan op. Ik heb nog een kwartier wanneer ik de muziektent passeer.

Slechts een paar minuten later dan beloofd arriveer ik bij De Jaren. Ik zet mijn fiets op slot tegen het hek ertegenover, loop naar binnen, rechtstreeks door naar het terras op de steiger. De zon schijnt, het is uitgelezen terrasweer.

Ik ontdek Brigitte pas als ze naar me zwaait. Ze heeft een onopvallend plekje achteraan in de schaduw opgezocht.

'Hallo. Sorry, dat ik er niet sneller kon zijn.'

'Geeft niet.'

Ze heeft donkere kringen onder haar ogen en ziet er daardoor wat ouder uit dan gisteren. Een haarlok valt voor haar gezicht. Met een achteloos gebaar veegt ze hem achter haar oor. Ze pakt het glas cola dat voor haar op tafel staat en zet het aan haar lippen. Over de rand kijkt ze me aan, met een gespannen, vermoeide blik.

Ik steek mijn hand op naar de kelner en bestel een dubbele espresso.

'Wat kan ik voor je doen, Brigitte?' vraag ik als hij wegloopt.

Ze diept haar mobieltje op, toetst het een en ander in en geeft het aan mij.

'Kijk maar. Dit kreeg ik vanochtend.'

Vol afschuw staar ik naar de foto van een naakt, op bed vastgebonden meisje van ongeveer Brigittes leeftijd. Haar ogen zijn opengesperd, haar gezicht vertrokken van angst. Afschuw en medelijden strijden in mijn hoofd om de voorrang.

'Dat is Lianne,' fluistert Brigitte. Ik zie tranen in haar ogen.

'Afschuwelijk,' fluister ik terug. 'Heb je alleen deze foto ontvangen?'

'Er zat een berichtje bij. Ik moet om twee uur achter hotel Marilyn zijn van Toni, anders doet hij Lianne iets aan. Ik weet niet wat ik moet doen.' De tranen laten een zwart spoor na op haar wangen.

Ik leg een hand op haar arm om haar te troosten, of om in elk geval een gebaar te maken.

'Ik zal moeten gaan, hè?'

'Laat me even nadenken. Achter hotel Marilyn, zeg je. Sprak je daar wel vaker met hem af?'

'Nee. We nemen altijd de vooringang.'

Mijn mobiel gaat. Zonder te kijken wie het is neem ik op.

'Dag, mevrouw Rizzardi. Waarom hebt u me niet gebeld om te melden dat u met dat meisje hebt afgesproken in De Jaren?'

'Dag, meneer Molenaar. Wie zegt dat ik niet op het punt stond u te bellen? Maar dat is niet nodig, blijkt. Hoe kan het dat u zo goed op de hoogte bent?'

'Ik heb een rechercheur op Brigitte gezet. Die meldde mij zo-even dat u met haar op een terras zit te praten.'

Hij heeft haar laten schaduwen. Ik besluit een iets vriendelijker toon aan te slaan. 'Het komt goed uit dat u nu belt, want we komen ergens niet uit. Geef me een paar minuten om haar het een en ander uit te leggen en bel me dan alstublieft terug.'

Brigitte heeft in de gaten dat het over haar gaat en kijkt geschrokken op.

'Was dat iemand die wist dat wij hadden afgesproken?'

'Nee, wel iemand die wist dat we hier samen zitten. Ik hoor net dat je sinds vanochtend wordt geschaduwd door een rechercheur. De politie probeert volgens mij om via jou een spoor naar Lianne te vinden.'

'Niets van gemerkt. Wist je dat echt niet?'

'Nee,' zeg ik zo stellig als ik kan. 'Dat wordt me net verteld.'

'Als ik met de politie ga praten is het afgelopen, met mij en met Lianne.'

'Je praat nu met mij. Je houdt je dus aan je woord. Vind je het goed dat ik de politieman die ik net aan de lijn had op de hoogte breng van die afschuwelijke foto van Lianne, en van je afspraak om twee uur met Toni? Hij kan beter dan wij bepalen of je een risico loopt en of je sowieso naar die afspraak moet gaan.'

Ze aarzelt even, maar knikt dan berustend. 'Ik heb niet veel keus, hè? Weet je, ik wil alles doen om Lianne terug te krijgen, dus als het moet ga ik gewoon.'

'Zal ik dat met die politieman overleggen? Je mag het ook zelf doen.'

'Doe jij maar,' zegt ze terwijl mijn mobiel zijn ringtone laat horen.

'En, is alles haar duidelijk?' vraagt Molenaar zonder inleiding. Het klinkt ongeduldig.

'Ja, ze weet dat ze wordt geschaduwd en waarom.'

Brigitte blijft me aankijken terwijl ik hem vertel wat er speelt en een beschrijving geef van de foto.

'Dat klinkt bijzonder ernstig,' luidt zijn commentaar. 'Ik ben blij dat u inmiddels wat beter met ons meewerkt, anders waren er toch een paar dingen fout gelopen. We staan namelijk op het punt hotel Marilyn binnen te vallen met een huiszoekingsbevel. We denken dat dat meisje nog daar zou kunnen zijn. Maar nu, met deze informatie, lijkt het beter om die actie een paar uur uit te stellen en aan te passen. Dat ga ik direct met mijn collega's overleggen. Blijven jullie daar alstublieft zitten tot ik opnieuw contact opneem, binnen een uur. Dan beslissen we of Brigitte naar die afspraak kan gaan.'

'Ze stonden op het punt om hotel Marilyn binnen te vallen voor een huiszoeking. Ze sluiten niet uit dat Lianne daar wordt vastgehouden,' leg ik uit terwijl ik mijn mobiel op tafel leg.

Brigitte zucht diep. 'Ik hoop zo dat het waar is, dan hoef ik ook niet naar mijn afspraak met Toni. Ik heb het helemaal met hem gehad. Ik ben zo blij dat je bent gekomen. Ik heb niemand anders die ik kan vertrouwen.'

Het klinkt zo treurig dat ik iets moet wegslikken.

'Zullen we nog iets te drinken bestellen, en een broodje of zoiets?' stel ik voor om haar af te leiden.

'Ik heb geen trek. Bestel jij maar. Ik betaal, want je zit hier voor mij en niet voor je plezier.'

'Kom nou. Ik laat mijn eten niet door jou betalen,' protesteer ik.

'Ik heb de laatste tijd waarschijnlijk meer geld verdiend dan jij. Je doet me er een plezier mee. Alsjeblieft?'

Ik ben te verbouwereerd om ad rem te reageren. Als ik koffie en een broodje gezond bestel, bestudeert Brigitte de omgeving.

'Een rare gedachte dat iemand ons in de gaten houdt. Ik kan hem niet ontdekken. Eerst dacht ik dat het die man was die verderop de krant zit te lezen, maar daar is net een vrouw bij gaan zitten.'

'Het kan ook een vrouwelijke rechercheur zijn.'

'O ja.'

Haar ogen scannen opnieuw de omgeving en blijven langer op de vrouw rusten. Plotseling staat Brigitte op.

'Even naar de wc,' zegt ze. 'Misschien komt iemand me achterna als ik daarheen loop.'

18

Brigitte is net het café in gelopen als ik Molenaar weer aan de lijn krijg.

'De plannen zijn gewijzigd, aangepast aan de afspraak van Brigitte,' deelt hij zakelijk mee. 'We zouden die Toni graag een paar vraagjes willen stellen. Heeft ze u verteld wat hij van haar wil?'

'Daar laat ze zich niet over uit en ik heb ook niet aangedrongen.'

'Maar u hebt wel een idee?'

'Ik ga niet speculeren. Ze moet het zelf maar vertellen.'

'Ook goed. We hebben de situatie rond dat hotel gedetailleerd in kaart gebracht. Bij de voor- en achteringang staan rechercheurs, net als in de straat achter het hotel. Bij het geringste vermoeden dat Brigitte gevaar loopt, grijpen we in. Toni moet zo lang mogelijk blijven denken dat alles normaal is en met haar dat hotel in gaan. We wachten een paar minuten en vallen dan binnen. Ben benieuwd wat we gaan aantreffen.'

'Een minderjarig meisje als lokaas? Mag dat wel?'

'Lokaas? Dat lijkt me een groot woord. Als u er niet tussen had gezeten, was ze gewoon naar Toni toe gegaan.'

'Zou kunnen,' zeg ik zuinig. 'Wat zeg ik tegen haar?'

'Zit ze niet naast u?'

'Nee, ze is even weg.'

'Vertel maar dat ze veilig naar haar afspraak kan gaan omdat wij in de buurt zijn. Ze hoeft maar te piepen en we schieten te hulp. Denkt u dat ze het aankan?'

'Ze lijkt me wel een koele tante. Had u ook nog een rol voor mij in gedachten?'

Het blijft een poosje stil. 'U kunt het meisje mentaal steunen. Blijf zo lang mogelijk bij haar, als u maar zorgt dat u weg bent zodra Toni opduikt.'

'En u durft vol te houden dat lokaas een groot woord is?' zeg ik schamper. 'Zijn er geen voorschriften of richtlijnen voor als het een minderjarige betreft?'

Ik voel Brigitte achter me langs schuiven. Ze moet de laatste zinnen hebben gehoord. Ik sluit ook niet uit dat ze al langer staat te luisteren.

'Die zijn niet op deze situatie toegesneden. We zetten haar niet in om iets uit te lokken. Ze gaat naar een reeds gemaakte afspraak met iemand die ze kent. In feite is haar veiligheid nu meer gewaarborgd dan als we niet van de afspraak hadden geweten.'

'Het klinkt alsof u niet alleen mij, maar ook uzelf probeert te overtuigen. Ik hoop dat u gelijk hebt.'

'Ga daar maar van uit.'

Ik stop mijn mobiel terug in mijn handtas, werp een steelse blik op Brigitte en buig opzij zodat de kelner mijn bestelling op tafel kan zetten.

'Ziet er lekker uit.'

'Dank u.' Hij lacht innemend. 'De jongedame nog iets drinken?'

Brigitte schudt haar hoofd. Meer dan een kort 'nee' kan er niet af. 'Was dat die rechercheur?' vraagt ze zodra de man zich heeft omgedraaid. 'Moet ik voor lokaas spelen?'

Ze heeft het dus wel degelijk opgevangen.

'Help ik daar Lianne mee?' wil ze weten nadat ik heb uitgelegd wat de politie van plan is.

Ik haal mijn schouders op. 'Ik zou het niet weten. Voorlopig gaat de politie ervan uit dat Lianne in dat hotel wordt vastgehouden en dat Toni jou mee naar binnen neemt.'

'Maar als dat niet zo is?'

'Geen idee wat er dan gebeurt. Ik denk niet dat Toni jou er meteen van verdenkt dat je de politie op zijn dak hebt gestuurd. Doe maar alsof je je dood schrikt, maak veel misbaar. Ze zullen je wel meenemen voor verhoor. Verzet je daar maar een beetje tegen.'

'Daar trapt Toni alleen in als die agenten niet te aardig tegen me doen,' zegt ze bedachtzaam.

'Dat zal ik tegen die rechercheur zeggen. Wil je echt niets eten of drinken? We hebben nog bijna een uur.'

We zetten onze fietsen op slot in een van de fietsenrekken langs het water. Brigitte heeft sinds we van het terras zijn vertrokken niets meer gezegd, terwijl we toch af en toe naast elkaar hebben gereden. Haar gezicht staat strak en ze ziet bleek. Wat gaat er allemaal in haar om? We hebben samen al wat tijd doorgebracht en toch weet ik nog bijna niets van haar omdat ze, zodra ik haar iets persoonlijks vraag, een muur optrekt. Het enige wat ze zich heeft laten ontvallen is dat ze geen broers of zussen heeft. Gelukkig, zei ze erbij.

In de gracht glijdt een rondvaartboot voorbij. Flarden van het verhaal dat de gids door een microfoon over de passagiers uitstort, dwarrelen over het water. Opeens draaien hun hoofden onze kant op, vrijwel tegelijkertijd, alsof het marionetten zijn bij wie de gids aan de touwtjes trekt.

Na een stukje langs het water te hebben gelopen slaan we links af een steeg in, die uitkomt op een doorgaande straat met zijstraten. Hiervandaan gezien ligt hotel Marilyn aan de tweede. De achterkant van het hotel ligt dus aan de eerste zijstraat. Daar zal ik haar alleen verder moeten laten gaan, een vooruitzicht dat me steeds minder bevalt.

'Francesca?'

'Ja?'

'Ik heb er geen goed gevoel over. Ik ben bang voor Toni.'

'Waarom? Het is toch niet de eerste keer dat je met hem afspreekt?'

'Maar nu is Lianne verdwenen.'

'Als je niet wilt gaan, moet je het niet doen.'

'Daar help ik Lianne niet mee. Zij heeft me juist gevraagd om het wel te doen. Ik begrijp alleen niet hoe ik haar daarmee help.'

'Ga luisteren naar wat Toni te vertellen heeft,' stel ik voor. 'Er is politie in de buurt. Wat kan je gebeuren?'

We zijn onbewust langzamer gaan lopen, alsof we de relatieve rust van de steeg nog even willen vasthouden. In de straat waar de steeg op uitkomt heerst een gezellige drukte. Naar gevels opkijkende toeristen, stadsplattegrond in de hand, camera aan een koord om de hals; gehaaste Amsterdammers op fietsen, een auto die het inrijverbod en het eenrichtingsverkeer negeert; hasj rokende hangjongeren bij een coffeeshop en een gehelmde man die naast zijn scooter staat en verdwaald lijkt.

'Oké. De volgende straat is het. Je mag vanaf hier niet verder meegaan.'

Voor ik haar kan vastpakken en sterkte kan wensen, loopt ze al weg. Ik slenter verder en vraag me af wat erop tegen is als ik de zijstraat waarin zij om de hoek verdwijnt langzaam passeer om haar in de gaten te houden. Niemand let op mij. Niemand behalve Nicolai zal me herkennen, voor zover ik kan nagaan.

De man op de scooter lijkt intussen te weten wat hij wil, want hij duwt het ding van zijn standaard en start de motor. Door zijn helm kan ik het niet goed zien, maar ik heb de indruk dat hij Brigitte belangstellend nakijkt. Pas als hij achter haar aan rijdt, slaat een gevoel van onraad toe en versnel ik mijn pas. Seconden lijken opeens minuten, tientallen meters kilometers. Dan kan ik een blik in de zijstraat werpen.

De scooter is voor Brigitte gestopt en de berijder belet haar verder te gaan. Hij heeft een tweede helm bij zich die hij Brigitte voorhoudt. Ze weigert hem aan te pakken en schreeuwt iets tegen hem. De man wordt kennelijk ongeduldig, want hij grijpt haar vast en probeert haar achter op de scooter te trekken. De helm klettert op straat en rolt een stukje weg. Ik hol de straat in om haar te helpen. Er rent ook een man op het worstelende tweetal af. Zodra de man op de scooter ziet dat er mensen op hem af komen beseft hij dat het hem niet zal lukken om Brigitte mee te nemen en laat hij haar los. Opeens heeft hij een vuurwapen in zijn hand. Hij richt het op Brigitte, die gilt en wegrent, niet in een rechte lijn, maar zwalkend. Na enkele meters struikelt ze en valt languit op straat. Er klinken meerdere schoten. De man zakt in elkaar, zijn scooter valt om. De motor pruttelt nog wat na en slaat dan af.

Het heeft zich allemaal binnen enkele seconden afgespeeld. Er komen meer mannen aanrennen, één met een telefoontje tegen zijn oor. Ik snel op Brigitte af en laat me naast haar op de grond zakken. Ze kreunt.

Goddank. Ze leeft nog.

'Ben je geraakt?' vraag ik met ingehouden adem.

'Heeft hij echt op me geschoten?' Bevend gaat ze overeind zitten en kijkt naar haar handen en knieën, die vol schaafwonden zitten.

'Ja, maar hij heeft je niet geraakt, hè?'

'Hij wilde dat ik met hem meeging. Toni had hem gestuurd, zei hij. Toen ik dat pistool zag, ben ik zigzaggend weggerend.'

Tot mijn verbazing verschijnt er een triomfantelijk lachje op haar gezicht.

'Daar had die rotzak mooi niet op gerekend. Goed hè?'

Een pose die ze niet lang volhoudt. Plotseling barst ze in snikken uit en slaat haar handen voor het gezicht.

'Mevrouw?'

Ik kijk op. Een politieagent buigt zich over ons heen. Vlakbij staat een politiewagen met blauw zwaailicht. Ik heb hem niet eens aan zien komen.

'Is ze gewond? Moet er een ambulance komen?' wil hij weten.

Ik kijk Brigitte aan.

Ze schudt heftig van nee. 'Ik heb alleen wat schaafwonden.'

'Dan heb je geluk gehad,' zegt de agent. 'Ik zal je naar het politiebureau brengen voor een verklaring.'

Brigitte krabbelt op. Ze knikt maar wat.

'Bent u familie, mevrouw?'

'Nee, maar ik blijf wel bij haar.'

19

Op het politiebureau worden we opgewacht door een agente, die ons meteen naar een kleine kantine brengt.

'Rechercheur Molenaar komt hierheen zodra het mogelijk is,' zegt ze.

Ik wijs op Brigittes schaafwonden en vraag of ze daar iets voor heeft. Ze knikt en gaat meteen op zoek naar een verbanddoos.

'Ik dacht dat ik dood zou gaan, Francesca.'

Het zijn haar eerste woorden sinds we in de politieauto zijn gestapt. De hele rit heeft ze als een aangeslagen vogeltje voor zich uit zitten staren.

'Pas toen jij tegen me begon te praten wist ik dat ik het had overleefd. Ik heb een kogel vlak langs mijn hoofd horen fluiten.' Ze krimpt in elkaar. 'Een paar centimeter naar links of rechts, en ik was er niet meer geweest.'

'Je was wel stoer,' zeg ik luchtig. 'Je bent zigzaggend weggerend.'

Er verschijnt een flauw lachje op haar gezicht.

'Dat had ik een keer in een film gezien. Het ging vanzelf.'

De agente heeft ergens een verbanddoos vandaan gehaald. Voorzichtig dept ze de schaafwonden met een desinfecterende vloeistof. Brigitte trekt een pijnlijk gezicht, maar houdt zich groot.

'Ik hoorde net dat de actie nog niet is afgelopen. Het kan dus nog even duren voor Molenaar hier is,' zegt de agente. Ze neemt Brigitte nieuwsgierig op. 'Er is op je geschoten, hè? Een nare ervaring. Ik hoop het zelf nooit mee te maken.'

Brigitte zegt niets en staart voor zich uit.

De agente richt zich tot mij.

'Kan ik iets te drinken voor u halen?'

'Ik kan wel een kop koffie gebruiken. Jij ook, Brigitte?'

Ze knikt afwezig.

'Hoe zou het met Lianne zijn?' vraagt ze zich hardop af.

Dat heeft haar al die tijd beziggehouden, besef ik.

'Misschien is ze al gevonden.'

Ze snuift en haalt haar schouders op. 'Ik heb nagedacht. Toni stuurde iemand met een scooter om mij op te halen. Dan was hij dus niet in het hotel. Waarom zou Lianne daar dan wel zijn? En toen ik niet mee wilde moest die man me doodschieten.' Haar gezicht staat strak. 'Ik begrijp niet waarom iemand me dood wil hebben, en van Lianne begrijp ik dat al helemaal niet, die is hartstikke lief.'

Er verschijnen weer tranen in haar ogen.

'Maak je nou geen zorgen. Misschien is ze op dit moment al vrij.'

Brigitte kijkt strak voor zich uit. Ik laat haar maar even en drink langzaam mijn koffie op.

Na twintig minuten komt de agente weer naar ons toe.

'Ik mag jullie naar een verhoorkamer brengen,' zegt ze. 'Molenaar komt eraan.'

'Hoezo verhoorkamer?' vraagt Brigitte. 'Word ik dan ergens van verdacht?'

'Om rustig te kunnen zitten, meer niet. Komen jullie mee?'

De agente leidt ons door gangen met aan weerszijden ruimten waar mensen aan het werk zijn. Dan laat ze ons binnen in een kamertje waarin een tafel en vier stoelen staan. We zitten nog maar net als Molenaar binnenkomt.

'Dank je wel, Agnes,' zegt hij. 'Ik neem ze van je over.'

Hij steekt zijn hand uit naar Brigitte. 'Molenaar. Ik heb al het een en ander over je gehoord van mevrouw Rizzardi.'

'Hebben jullie Lianne gevonden?'

Hij kijkt naar mij, dan naar Brigitte.

'Het spijt me. Je vriendin was niet in dat hotel.'

Ze perst haar lippen op elkaar.

'Maar jullie zoeken toch wel verder?'

'Uiteraard. We doen alles om haar te vinden.'

'Hebben jullie wel iets gevonden waarmee jullie verder kunnen?' vraag ik.

Hij trekt een stoel naar achteren en gaat tegenover ons zitten.

'Onze inval heeft helaas niets opgeleverd. Alles wees erop dat ze er rekening mee hielden dat we zouden komen.'

Hij wendt zich tot Brigitte. 'Eh... kamer 16 in dat hotel, kun je daar een beschrijving van geven?'

In plaats van te antwoorden komt Brigitte met een tegenvraag. Heeft ze niet geluisterd, wil ze niet antwoorden of vindt ze andere dingen domweg belangrijker?

'Hoe is het met die man die op me heeft geschoten? Leeft hij nog?'

'Hij ligt op de intensive care. We vrezen dat hij het niet gaat redden.'

Ze zuigt haar onderlip naar binnen, wrijft met een vinger onder haar neus.

'Shit. Hij weet waar Toni is en die kan vertellen wat er met Lianne is gebeurd. Jullie gaan hem toch ook opsporen, hè?'

'Dan hebben we een signalement nodig. Met alleen de naam Toni komen we niet ver. Je moet ons straks helpen een compositiefoto samen te stellen. Daarna wil ik graag dat je een aantal foto's bekijkt.'

'Ik wil alles doen om te helpen. Als Lianne maar terugkomt.'

'Mag ik de foto zien die naar je mobiel is gestuurd? Misschien staat er informatie op over de plek waar hij is genomen.'

Ze haalt haar mobieltje tevoorschijn, zet de foto in het scherm en geeft het aan Molenaar. Hij bestudeert de foto langdurig.

'Dat ziet er beroerd uit,' mompelt hij. 'Zou deze foto in kamer 16 gemaakt kunnen zijn?'

Brigitte schudt heel beslist haar hoofd. 'Daar staat een ander bed, zonder hoofdeinde.'

'Weet je nog wat er tegenover dat bed aan de muur hangt?'

'Een grote spiegel,' antwoordt ze prompt. 'Je kon er jezelf vanaf het bed goed in zien.'

Molenaar knippert een paar keer met zijn ogen voor hij zijn volgende vraag stelt.

'Heb je wel eens geluiden uit de kamer ernaast gehoord?'

Ze denkt even na. 'De kamer ernaast wordt overdag niet gebruikt.'

'Jij kwam daar dus alleen overdag?'

'Ja, meestal 's middags.' Ze zegt het alsof ze iets alledaags vertelt.

'Eh... Brigitte. Wat deed je daar dan in die kamer?'

Ze zucht een keer diep en kijkt ons om beurten aan met een blik van: begrijpen jullie dat echt niet?

'Wat doe je op een bed in een hotelkamer met een man die ervoor betaalt?' zegt ze uiterlijk onbewogen.

Ik pers mijn lippen op elkaar. Tot nu toe heb ik niet willen geloven dat dit meisje zichzelf prostitueerde.

'Bij een meisje van vijftien denk ik niet meteen aan prostitutie. Daar staan zware straffen op, zowel voor degene die daartoe aanzet als voor degene die er misbruik van maakt,' reageert Molenaar schijnbaar onaangedaan.

'Alsof Toni dat niet weet. Verboden vruchten zijn gevaarlijk, zegt hij altijd, maar ook heel erg kostbaar.'

Zoals ze erover praat. Ook Molenaar heeft moeite om neutraal te blijven kijken, terwijl hij toch meer gewend moet zijn dan ik.

'Nog een keer over kamer 16, Brigitte. Denk alsjeblieft goed na voor je antwoord geeft. Heb je daar echt nooit iets gehoord? Gestommel, stemmen, iets wat tegen de muur bonkte, zulke dingen.'

'Nee, nooit.'

'Toch moet daar iemand geweest zijn.'

'Ik begrijp niet wat u bedoelt,' zegt Brigitte.

'Dan wist jij dus niet dat er een luikje in de muur achter die spiegel zat. Er hangt nu een ingelijste poster voor. Daar kun je niet doorheen filmen of foto's maken. Door een spiegel wel.'

Ze staart voor zich uit. Het duurt even voordat goed tot haar doordringt wat Molenaar heeft gezegd.

'Ze maakten dus filmpjes van ons,' stamelt ze uiteindelijk. 'Wat een rotzakken. Dan had Lianne dus toch gelijk.'

'Wist Lianne daarvan?' vraagt Molenaar verrast.

'Ze heeft wel eens iets gezegd over filmpjes waar Toni veel geld mee verdiende. Ik geloofde het niet. Dat was niks voor Toni, vond ik.'

'Gevaarlijke kennis. In het hotel zijn alle sporen van hun aanwezigheid gewist, met dank aan uw bezoek gisteravond,' zegt hij, mij verwijtend aankijkend. 'De heren zijn op dit moment hun straatje aan het schoonvegen. Het zit ze alleen een beetje tegen, en dat maakt het voor jullie tweeën behoorlijk gevaarlijk.'

'Hun straatje schoonvegen?'

'Zodra het ze te heet onder de voeten wordt, bijvoorbeeld doordat een van hun meisjes wegloopt en aangifte doet, houden ze grote schoonmaak.'

Hij kijkt ons om beurten aan. 'Iedereen die te veel over hen weet loopt het risico uit de weg te worden geruimd. Als alle sporen zijn gewist, beginnen ze opnieuw op een andere plek, in een ander land meestal.'

Ik voel een rilling over mijn rug gaan. *Iedereen die te veel over hen weet, loopt het risico uit de weg te worden geruimd.* Brigitte, Lianne, ik?

Brigitte heeft het ook begrepen. Haar ogen staan vol tranen. 'Zou Lianne nog wel in leven zijn?' vraagt ze.

'Ze heeft je vanmorgen toch ge-sms't? Misschien had ik het wat minder zwart-wit moeten formuleren,' verontschuldigt Molenaar zich. 'Ik wilde je vooral duidelijk maken dat je gevaar loopt en dat het verstandig is om ergens onder te duiken. Vind je het heel erg om een tijdje van huis te zijn?'

Brigitte haalt haar schouders op en veegt haar wangen droog.

'Of mij dat wat uitmaakt. Thuis ben ik alleen met mijn moeder, maar met haar heb ik niks.'

Molenaar gaat er niet op in.

'Verwacht u dat ik ook gevaar loop, na vannacht?' wil ik weten.

Brigitte kijkt me nieuwsgierig aan, maar vraagt niets.

'Onze inval in dat hotel kwam niet lang na uw bezoek daar. De conclusie dat u ons hebt getipt ligt tamelijk voor de hand. U kunt in dat geval nog wel iets van de heren verwachten.'

De man in het park, het handgebaar langs zijn keel. Misschien is het toch geen verbeelding geweest.

Molenaar reageert heel serieus als ik vertel wat ik meen te hebben gezien. 'Voorlopig kunt u het beste maar rustig thuis blijven zitten, met deuren en ramen op slot en iemand van ons voor de deur.' Hij trommelt met zijn vingers op tafel. 'Uw appartement is gelukkig goed te beveiligen. Met een balkon waar je onmogelijk vanaf de straat op kunt klimmen, heeft het in feite maar één ingang,' denkt hij hardop. 'Ik begrijp dat ik u ermee overval, maar zou u Brigitte misschien een paar dagen onderdak kunnen verlenen? Jullie kennen elkaar en zitten in hetzelfde schuitje. Voor ons zou dat erg praktisch en overzichtelijk zijn.'

Ik schuif mijn stoel naar achteren en sla mijn benen over elkaar. Mijn ogen gaan van hem naar Brigitte en weer terug.

'Zou jij dat willen, Brigitte?'

'Ik vind het best.'

Ze wil kennelijk niet laten merken of het vooruitzicht om een paar dagen bij mij te moeten bivakkeren haar bevalt.

'Moet ik er nu over beslissen? Ik wil het eerst met mijn vriend bespreken.'

Molenaar staat op. 'Doet u dat alstublieft meteen, dan neem ik Brigitte mee om een compositiefoto van Toni te laten maken.'

Waarom zou ik weigeren? Sylvester moet maar accepteren dat ik mijn verantwoordelijkheid neem. Want zo voelt het. Het is deels mijn schuld dat haar leven gevaar loopt. Mijn bezoek aan hotel Marilyn vormde voor Toni waarschijnlijk het bewijs dat ze haar mond niet heeft gehouden. Daarom is er op haar geschoten. Het minste wat ik kan doen is nu meewerken aan haar bescherming.

20

Het is al vijf uur geweest als een politiewagen ons bij de flat afzet. Terwijl ik met Brigitte naast me door de hal naar de lift loop, merk ik pas hoe moe en duizelig ik ben. De drugs werken nog na, en dan ook nog zo'n middag.

Na ons gesprek met Molenaar moesten we met een rechercheur aan de slag om een compositiefoto van Toni en Nicolai samen te stellen. Brigitte begon met Toni. Ze keek geconcentreerd naar het gezicht op het computerscherm en was heel gedecideerd in haar aanwijzingen. Na elke opmerking paste de rechercheur het portret aan.

'Helemaal Toni,' zei Brigitte ten slotte tevreden. Ik zag een man van rond de vijfentwintig met donker, naar achteren gekamd haar, een knap gezicht, vriendelijke ogen, een licht gebogen neus, niet iemand om op slag bang voor te worden.

Daarna moest ik het gezicht van Nicolai vormgeven, een worsteling zonder eind. Ik bleef maar veranderen, de stand van zijn ogen, de breedte van zijn neus, zijn haargrens, zijn kaaklijn. Brigitte kende niemand die op mijn beschrijvingen leek, zei ze, en dus kon ze me niet helpen. Uiteindelijk verscheen er een portret dat voldoende gelijkenis vertoonde. Een minimale afwijking was niet erg, volgens de rechercheur. Hij hoopte dat de twee portretten een match gaven met portretten uit bestanden met bij de politie bekende criminelen.

Voordat we wegreden lukte het me eindelijk om Sylvester aan de telefoon te krijgen. Hij had een moordend drukke middag, zei hij. Ik ook, en dat moordend kon hij bij mij bijna letterlijk nemen. Hij schrok zich uiteraard rot toen ik vertelde wat ik met Brigitte had meegemaakt en had er begrip voor dat ik haar tijdelijk in huis wilde nemen.

Brigitte is stilletjes. Zonder een woord te wisselen staan we samen in de lift. Pas als ik de voordeur heb geopend en haar voor me naar binnen laat gaan, doet ze haar mond open.

'Je woont mooi,' zegt ze terwijl ze door de woonkamer loopt en door het raam naar buiten kijkt. Op de rondweg rijdt het verkeer zes rijen dik voorbij. Haar ogen volgen een ambulance met blauw zwaailicht.

'Je hoort het verkeer hier niet,' merkt ze verbaasd op.

'Speciale beglazing met geluidsisolatie. Wil je wat drinken?'

'Wat heb je?'

'Sap, cola.'

'Cola graag.'

Wat onwennig zitten we even later tegenover elkaar. Ik zou haar van alles willen vragen, maar begrijp dat het daarvoor te vroeg is. We moeten elkaar eerst beter leren kennen, elkaars vertrouwen winnen, als dat althans mogelijk is bij een meisje met zo'n gecompliceerde achtergrond als Brigitte.

'Aardig dat ik hier een paar dagen mag blijven,' begint ze aarzelend. 'Het is wel lastig dat ik helemaal niets bij me heb, geen schone kleren, geen tandenborstel. Mijn moeder zal raar opkijken als een politieman haar komt vragen om wat spullen voor me in een tas te stoppen. Maar vandaag gaat dat niet meer lukken. Ze is pas om tien uur thuis.'

'Geen probleem. Ik kan je alles lenen wat je nodig hebt.'

'Dank je. Weet je, mijn moeder is altijd zo laat thuis en als dank voor de moeite verdient ze een hongerloontje. Er is nooit ergens geld voor. Zo zou ik niet willen leven. Jij hebt het beter voor elkaar.'

'En je vader? Je hebt het alleen over je moeder. Zijn je ouders soms gescheiden?'

Ze kijkt van me weg en laat haar blik rusten op een punt ergens achter me.

'Die leeft niet meer.'

'Wat erg, sorry.'

'Dat hoef je niet erg te vinden,' zegt ze nors. 'Hij zoop alleen maar. Zonder hem is het leven een stuk gemakkelijker geworden.'

Ik krijg kippenvel van haar toon.

'Je woont hier met een vriend, hè?' schakelt ze over op een veiliger onderwerp.

Het lukt me om te glimlachen. 'Je zult hem straks zien. Goed dat je over hem begint.' Ik pak de telefoon en toets zijn nummer.

'Hou je van Chinees?' vraag ik haar terwijl ik wacht.

'Ja, lekker.'

Sylvester neemt op en zegt dat hij al in de auto zit.

'Wil je even langs de Chinees gaan?' vraag ik. 'Haal maar drie porties, dan kunnen we van alles wat nemen.'

'Je hoeft niet voor mij te betalen, hoor,' zegt Brigitte. 'Ik vind het al geweldig dat ik hier kan slapen.'

'Nee, joh, ben je gek. Je bent onze gast.'

In het begin verloopt het eten niet helemaal ontspannen. Brigitte zit Sylvester tersluiks op te nemen en hij doet alsof hij dat niet in de gaten heeft.

'Wat voor werk doe jij, Sylvester?' vraagt ze opeens.

'Ik werk bij de reclassering.'

'O. Wat doe je dan precies?'

'Ik help mensen die in de gevangenis hebben gezeten om hun leven weer op te pakken.'

'Met een baan, bedoel je?'

'Ook, ja. Ik help met zoeken naar een huis, zulke dingen. Ze kunnen met al hun vragen bij mij terecht.'

'Heb je wel eens een moordenaar geholpen, of bekende criminelen?'

'Dat is beroepsgeheim. Maar ik kan wel wat anekdotes vertellen, zonder namen te noemen uiteraard.'

Op haar voorhoofd verschijnt een denkrimpeltje. 'Anekdotes? Wat zijn dat?'

'Korte verhalen over waargebeurde dingen die nogal grappig zijn, of raar,' legt Sylvester uit. 'Ik heb gewerkt met een draaideurcrimineel die na zijn zoveelste inbraak op de automatische piloot het politiebureau in wandelde en zich pas binnen afvroeg wat hij er eigenlijk kwam doen.'

Ze moet erom lachen. Dom is ze niet, maar er zitten wel wat hiaten in haar ontwikkeling.

'Wat vind je van haar?' vraag ik zacht als ze na het eten naar het toilet gaat.

'Wat moet ik vinden?' Sylvester kijkt wat ongemakkelijk. 'Een meisje dat meer vrouw is dan kind. *Lolita, American Beauty.* Over zulke typetjes zijn boeken geschreven, films gemaakt. Hordes mannen die daar geen weerstand aan kunnen bieden. En nu heeft een pooierboy van haar geprofiteerd.'

'Maar dat is toch dramatisch? Hoe wordt een meisje zo?'

'Echt iets voor jou om dat te willen weten,' merkt Sylvester op.

Op het moment dat Brigitte de kamer weer binnenkomt, gaat de telefoon. Mariella, zie ik in het schermpje.

'Mijn zus. Ze weet nog van niets, dus ik ga haar even bijpraten. Zet jij intussen koffie?'

Sylvester knikt. Brigitte gaat voor het raam naar buiten staan kijken. Al pratend loop ik naar mijn werkkamer.

'Hoi, Mariella. Hoe is het?'

Met haar is alles goed. Ze wil graag weten of ik al een vlucht naar Venetië heb geboekt.

'Nee, nog niet. Er is het een en ander tussen gekomen.'

Als ik ben uitverteld blijft het lang stil.

'Wat vreselijk allemaal,' zegt ze uiteindelijk. 'En dat is begonnen met dat briefje dat je in Palladium kreeg?'

'Met het oprapen van die cd al. Ik begrijp alleen niet wie daarvan kon weten, behalve de politie.'

'Wat ga je nu doen?'

'Binnenblijven. Wachten tot de politie de zaak heeft opgelost en ik weer veilig naar buiten kan, al is het niets voor mij om dagenlang binnen te moeten zitten.'

'Waarom ga je niet meteen naar Venetië? Daar zal niemand je zoeken.'

Dat ik daar zelf niet aan heb gedacht. Het zou een ideale oplossing zijn, al is Brigitte er natuurlijk ook nog. Toch ga ik er serieus over nadenken en het met Sylvester en met Molenaar bespreken.

21

Voor de zoveelste keer draait Brigitte zich op haar andere zij. Thuis lukt het vaak niet om in slaap te komen door het straatlawaai. Hier kan ze niet slapen omdat het zo stil is.

Zuchtend gaat ze rechtop zitten en kijkt om zich heen. De gordijnen laten net genoeg licht door om te kunnen zien wat er in de kamer staat. Een halfvolle boekenkast, een stoel, een tafeltje met een lege vaas en een wekkerradio erop.

Ze laat zich weer achterover zakken en staart naar het plafond. Geen kringen, het is smetteloos wit, zoals alles in Francesca's huis smetteloos is in vergelijking met het rommelhok waar ze met haar moeder woont.

Een vreemde gedachte dat in de kamer naast haar iemand ligt te slapen die ze drie dagen geleden nog niet eens kende, een vrouw die ze als een van de weinigen nog een beetje vertrouwt. Toch zal ze haar niet al haar geheimen vertellen, net zomin als aan rechercheur Molenaar. Praten met de politie is een doodzonde, volgens Toni.

Gelukkig heeft Francesca vanmiddag niet doorgevraagd over haar ouders, over de dood van haar vader vooral. Wat had ze moeten vertellen? Wat er werkelijk is gebeurd? Wat ze telkens opnieuw beleeft in afschuwelijke dromen? Uit angst daarvoor wíl ze vaak niet eens gaan slapen. En als ze dan toch in slaap valt, slaat de nachtmerrie genadeloos toe.

'Brigitte, kom eens hier. Je moet boodschappen voor me halen,' riep haar moeder vanuit de keuken.

Brigitte liep naar haar kamer en gooide haar rugzak met schoolboeken op bed. Haar moeder bekeek het maar. Ze had met Wendy afgesproken om samen huiswerk te maken. Daarna zou ze bij haar thuis blijven eten. Wendy's moeder vond het goed, ook al vroeg Brigitte Wendy nooit terug.

'Brigitte,' riep haar moeder opnieuw. 'Hier komen, zei ik.'

Ondanks haar tegenzin deed ze wat haar werd opgedragen. Ze slofte de keuken in zonder haar moeder aan te kijken.

'Ik heb een boodschappenlijstje voor je gemaakt. We krijgen visite die blijft eten.'

'Wie?'

'Oom Teun.'

Ze verstarde, voelde haar maag omdraaien. 'Ik heb met Wendy afgesproken om samen huiswerk te maken. We hebben morgen een proefwerk Nederlands.'

'Komt niets van in. Je blijft thuis en je gaat me helpen. Teun komt trouwens ook voor jou. Zo'n leuke meid als jij aan tafel, daar wordt hij altijd vrolijk van, zegt hij.'

'Nou, ik niet van hem, en ik ga toch naar Wendy.'

Haar stem trilde, het beeld van haar moeder verdween achter een waas van tranen. 'Waarom laat jíj je niet door oom Teun pakken? Of wordt hij daar niet vrolijk genoeg van?'

Haar moeder was met een paar stappen bij haar en gaf haar een klap in haar gezicht. 'Let op je woorden, brutaal kreng,' zei ze afgemeten. 'Waar heb je het over?'

'Dat weet je best.' Brigitte raakte de controle over zichzelf kwijt. Ze stond opeens te schreeuwen. 'Vuil rotwijf! Je weet het best, hè? Je weet het allemaal. Ook dat papa niet van me af kan blijven.'

De tranen stroomden over haar gezicht. Bijna was ze haar moeder te lijf gegaan, had ze de ogen uit haar huichelachtige gezicht gekrabd.

Haar moeder leek zich in te houden. 'Ik waarschuw je: zeg zoiets nooit meer.'

'Papa wil jou niet meer, hè? Daarom pakt hij mij. En als jullie geld nodig hebben...'

De tweede klap kwam nog harder aan dan de vorige. Het waas voor haar ogen werd dikker, haar moeder veranderde in een schim, die haar belette de keuken uit te vluchten door aan haar kleren en haren te trekken. Ze verzette zich met al de kracht die ze had, maar haar moeder was te sterk, hoe ze ook vocht en schopte. Ze werd verder de keuken in gesleurd. Op het aanrecht stond een glazen pot. Het leek of hij haar wenkte. Ze kreeg hem opeens scherp op haar netvlies, dwars door het waas heen. Ze vocht zich ernaartoe, pakte de pot op en zwaaide hem tegen het hoofd van haar moeder. Die liet haar los en zakte in elkaar.

Ze vluchtte de keuken uit, de deur door, de overloop op naar de trap.

Haar vader kwam naar boven. Hij boerde luid en posteerde zich breeduit voor haar. Er kwam een zurige walm uit zijn mond en hij keek haar grijnzend aan.

'Waar ga je heen?'

'Naar Wendy,' wist ze uit te brengen. 'Huiswerk maken en ik blijf daar eten.'

'Ik dacht het niet. Oom Teun komt zo.'

Hij maakte zich nog breder en zwaaide onvast op zijn benen.

Een hand kwam op haar af. Ze dook onder zijn arm door, maar het lukte hem toch haar vast te grijpen. Ruw trok hij haar naar zich toe. Ze worstelde om los te komen, zag kans een voet tegen de muur te plaatsen en zette uit alle macht af. Haar vader wankelde achteruit, liet haar los om zijn evenwicht te hervinden maar graaide tevergeefs naar de trapleuning. Hij viel ruggelings achterover en bonkte de trap af, met zijn hoofd naar beneden. Kabonk, kabonk, *alsof hij over een glijbaan met oneffenheden gleed,* kabonk, kabonk, *als het kloppen van haar hart, dat even haperde toen het lichaam beneden met een doffe klap tot stilstand kwam. Als oom Teun niet in de weg had gestaan, was het doorgegleden naar buiten, want de deur stond open. Teun vloekte en keek omhoog. Zijn ogen kruisten die van haar en gingen toen naar het hoofd van haar vader, dat in een vreemde hoek op de romp stond.*

'Hier wil ik niks mee te maken hebben,' zei hij.

Hij keek haar opnieuw aan, met koude, onaangedane ogen. 'Maar ik heb wel alles gezien, vergeet dat nooit.' Toen draaide hij zich om en trok de deur achter zich dicht.

Opeens begon ze te beven. Haar schouders schokten en haar handen wreven onbeheerst over haar gezicht. Dit was haar schuld. Als ze had gehoorzaamd was dit niet gebeurd. Andere meisjes van haar leeftijd deden toch ook wat hun werd opgedragen? Waarom zij dan niet?

Ze stopte met wrijven, haar armen vielen slap langs haar lichaam. Wat moest ze doen? In huis blijven kon niet. De enige uitweg lag voor haar, al zou ze over het lichaam heen moeten stappen.

Het werd licht in haar hoofd. De vloer en het plafond draaiden rondjes, eerst langzaam, daarna steeds sneller, alsof ze in een zweefmolen zat. Om niet te vallen greep ze zich vast aan de trapleuning.

De zweefmolen vertraagde en stopte met draaien. Ze stond weer op de vloer van de overloop, haar hand nog om de trapleuning geklemd. Aarzelend zette ze een voet op de bovenste trede. Haar ogen bleven strak op het lichaam beneden gericht. Stel dat hij alleen maar bewusteloos was en plotseling bij kennis kwam, net op het moment dat ze over hem heen wilde stappen.

Ze huiverde, het klamme zweet brak haar uit toen ze ook haar andere voet op de bovenste traptrede zette. Het voelde alsof ze een deur achter zich dichttrok zonder een sleutel bij zich te hebben. Trede voor trede ging ze verder, eerst één voet erop en daarna allebei. Ze voelde haar hart bonken toen ze bij de trede kwam waar zijn benen op lagen.

Zijn broekspijpen waren hoog opgeschoven, zijn melkwitte enkels en kuiten staken omhoog.

Op haar tenen sloop ze erlangs, doodsbang dat hij speelde dat hij bewusteloos was en haar plotseling zou vastgrijpen.

Toen was ze erlangs. Ze had de klink van de buitendeur in haar hand, maar kon niet zomaar weglopen. Iets dwong haar om nog een keer naar hem te kijken. Zijn gezicht lag met de rechterwang op de vloer. Het was spierwit, de ogen waren gesloten, de mond stond een beetje open, alsof hij nog probeerde te ademen. Het deed haar niets. De enige emotie die ze voelde was opluchting omdat hij niet bewoog.

Vergiste ze zich of bewogen toch zijn ogen achter zijn gesloten oogleden? Ze boog zich wat naar voren, maar zag geen teken van leven. Misschien was hij nog te redden als ze direct 112 belde voor een ambulance. Mooi niet.

Ze voelde zich kalm worden. Langzaam zakte ze door haar knieën en bracht haar gezicht dicht bij dat van haar vader. 'Ik hoop dat je hartstikke dood bent, vuile rotzak,' siste ze.

'Brigitte, wakker worden.'

Ze kijkt in het bezorgde gezicht van Francesca.

'Had je een nachtmerrie? Het leek wel of je aan het vechten was, zo ging je tekeer.'

Brigitte veegt met een hand over haar bezwete voorhoofd.

'Ik droomde nogal naar, ja.' Ze perst er een glimlachje uit. 'Goed dat je me wakker hebt gemaakt. Hoe laat is het?'

'Kwart over negen. Ik ben al een tijdje op en Sylvester is naar zijn werk. Heb je niets gehoord?'

'Nee.'

'We hebben zo stil mogelijk gedaan. Je wilt zeker eerst douchen. Kom je daarna ontbijten?'

'Graag.'

'Trek de witte badjas maar aan, die is van mij. De blauwe is van

Sylvester. Je moet straks even kijken of je ondergoed van mij past. De badkamer is hier recht tegenover. Ik heb een handdoek voor je klaargelegd en je kunt gebruiken wat je nodig hebt. Tot zo.'

Francesca loopt weg. Brigitte blijft nog even liggen om te wennen aan de nieuwe situatie. Dan zwaait ze haar benen over de bedrand. *Of ze komt ontbijten?* Zoiets zal haar moeder nooit vragen. Het is net of ze in een andere wereld is beland. Dat is schijn, natuurlijk, want haar leven is nog steeds één grote puinhoop.

Een kwartier later zit ze in Francesca's badjas aan de eettafel. Sterk geurende koffie, gekookte eieren, geroosterde boterhammen, kaas, jam, een glas sinaasappelsap, er staat van alles op tafel. Zou Francesca elke dag zo ontbijten of doet ze dit alleen omdat er een logé is?

'Pak maar wat je wilt hebben,' zegt Francesca uitnodigend. 'Als ik vanochtend boodschappen had kunnen doen, dan had ik verse croissants gehaald, maar geroosterd brood is ook lekker.'

Brigitte knikt maar wat. Francesca moest eens weten wat zij gewend is.

'Molenaar heeft al gebeld,' zegt Francesca terwijl ze een ei pelt. 'Hij zou rond een uur of twaalf hier zijn met foto's die je moet bekijken. Ik denk niet dat het onderzoek veel is opgeschoten, anders had hij dat wel gezegd. O ja, of je zo veel mogelijk bij het raam vandaan wilt blijven.'

'Waarom?'

'Ze houden mijn flat misschien in de gaten en ze kunnen beter niet weten dat ze hier twee vliegen in één klap kunnen slaan.'

'Ik dacht dat we hier veilig waren.'

'Ja, maar Molenaar is extra voorzichtig na wat er gisteren is gebeurd.'

22

Ik schenk voor mezelf nog een kop koffie in en voor Brigitte een glas sap. Ze neemt een hap uit haar door eigeel zacht geworden beschuitje.

'Wat vind je eigenlijk van me, Francesca, wat ik doe, bedoel ik?' vraagt ze als haar mond leeg is.

Ze neemt me nauwlettend op. Mijn antwoord is van groot belang voor onze verhouding de komende dagen, besef ik. Haar directheid voelt bijna als een overval.

'Ik weet nog niet zo veel van je en dus is het moeilijk om een oordeel te hebben. Hoe heb je Toni eigenlijk leren kennen?'

Ze neemt een slok van haar sap en veegt haar mond af.

'Via Lianne. We kenden elkaar van de snackbar bij ons in de straat. Dat heb ik je al verteld. Zij had altijd veel meer geld om kleren en zo te kopen dan de anderen. Net als ik.'

'Net als jij? Jullie hebben het thuis toch niet breed?'

'Mijn moeder. Ik heb geld genoeg.'

Ze neemt weer een hap van haar beschuitje en kijkt me even aan. Een uitnodiging om door te vragen?

'Hoe kwam jij dan aan veel geld?'

Ze neemt een grote slok, waardoor ze even achter haar glas verdwijnt.

'Ik had een rijke man leren kennen.'

'Een rijke man? Hoe oud was die?'

'Een jaar of vijftig.'

Ik mag niet laten merken dat haar mededeling weerzin bij me oproept.

'Hoe oud was jij toen?'

'Dertien, bijna veertien.'

'En die vijftiger wilde jou betalen als je met hem naar bed ging?'

Ze knikt.

Hoe krijgt zo'n vent een meisje van dertien zover dat ze met hem naar bed wil? Ik wil me er niet eens iets bij voorstellen.

'Jij hebt vast een leuke jeugd gehad met een aardige vader en moeder.'

'Dat klopt, ja.'

'Ik dus niet. En als zo'n man dan opeens heel aardig tegen je doet...'

'Opeens?'

Ze laat het sap in het glas ronddraaien en neemt weer een slok. Even lijkt ze daar totaal in op te gaan, dan kijkt ze me wat wantrouwig aan.

'Beloof je me dat je hierover geen artikel gaat schrijven?'

'Dat beloof ik. Daar vraag ik het niet voor, als dat je geruststelt.'

'Oké dan. Ik stond voor een etalage van een chique zaak naar kleren te kijken die ik echt niet kon betalen. Komt er opeens een man naar me toe. Suède jas met bontkraag, dure leren schoenen, een wolk aftershave. Of ik iets wilde kopen? Best wel, zei ik. Nou, hij wilde wel betalen. Geloof het of niet. Hij drukte zomaar honderd euro in mijn hand. Mocht ik houden, ook als ik niet wilde doen wat hij vroeg. Hij zat vlakbij in een hotel. Als ik hem daar kwam opzoeken kreeg ik het dubbele.'

'Dat heb je dus gedaan?'

'Ja. Ik kon het geld goed gebruiken, en die man was best aardig.'

'Ook toen je op zijn kamer kwam?'

'Ja. Ik was superzenuwachtig, maar hij was zo lief voor me. We zijn eerst samen in bad gegaan. Daarna ging het gewoon vanzelf, helemaal niet ranzig of zo. En het voelde niet verkeerd, anders had ik niet nog een keer afgesproken.'

'Nog een keer? Hoe vaak ben je daarna nog naar hem toe gegaan?'

'Vaak. Soms kreeg ik wat extra's. Zo is het dus begonnen. Tot hij zijn mobiel niet meer opnam. Hij belde mij zelf ook niet meer. Ik baalde, want ik was aan het geld gewend geraakt, snap je.'

Ik snap er helemaal niets van, maar dat houd ik voor me.

'Ik was toen al een beetje bevriend met Lianne. Haar heb ik alles verteld. Zij verdiende haar geld op dezelfde manier als ik, bekende ze, alleen niet in haar eentje. Dat was veel te gevaarlijk. Haar vriend regelde af en toe een klant voor haar. Hij was te vertrouwen en zorgde ervoor dat haar niets overkwam. Als ik wilde zou ze me aan hem voorstellen.'

'Zo heb je Toni dus ontmoet?'

Ze knikt.

'Je hebt het dus alleen voor het geld gedaan?' Het lukt me niet goed meer mijn afkeer te verbergen.

'Je weet niet wat er daarvoor allemaal is gebeurd. Ik was beter af zo.'

'En intussen verdiende Toni lekker aan je.'

'Toni gaf me altijd mijn deel. En hij heeft iets voor me gedaan.'

'Wat dan?'

'Iets waardoor ik een veel beter leven kreeg dan daarvoor. Jij weet niet hoe ik ben opgegroeid, wat ik allemaal heb moeten verdragen om niet verrot te worden geslagen. Echt waar, door Toni werd alles een stuk minder naar voor me.'

'Je vindt het dus geen probleem om je voor wat geld door Jan en alleman te laten neuken?' Jezus, wat zeg ik nu weer? Ze kijkt met een ruk op, in haar ogen staan tranen.

'Wat denk jij nou? Niemand speelt voor hoer omdat het zo leuk is. Je denkt toch niet dat ik er plezier aan beleef?'

'Nee, natuurlijk niet. Daarom begrijp ik het ook niet.'

'Omdat jij geluk had en niet hebt hoeven kiezen tussen een leven vol vernederingen of werken voor Toni. Door hem kon ik me nog een beetje gelukkig voelen. De man met wie het begon was een hele opluchting. Daarom voelde het goed, ook al wist ik best dat het niet klopte. Nou, nu weet je ongeveer hoe ik in elkaar zit. Vind je me slecht en wil je me nu weg hebben?' Ze slaat haar handen voor haar gezicht en snikt ingehouden.

Ik maak me los uit mijn verstarring, sta op en sla mijn armen om haar heen. Ze duwt haar gezicht tegen me aan en geeft zich over aan een huilbui. Zachtjes streel ik haar haren.

'Je mag blijven zolang je wilt, en ik vind je helemaal niet slecht. Echt niet.'

Het is elf uur geweest wanneer er wordt aangebeld. Brigitte kijkt in de huiskamer tv, terwijl ik in mijn werkkamer met Mariella zit te bellen. Ze maakt zich hevig ongerust en wil weten of ze iets voor me kan doen. Boodschappen halen, bijvoorbeeld.

'Voorlopig lukt het allemaal nog wel,' zeg ik. 'Ik laat je nog weten wanneer ik vertrek. Zeg, er staat iemand bij de deur. Ik ga opendoen, hoor. Ciao.'

Het is Molenaar, veel vroeger dan afgesproken.

'Kunnen jullie het een beetje vinden samen?' vraagt hij nadat ik hem heb binnengelaten.

'Heel goed. Is er al nieuws over Lianne?'

'Nee, helaas. We zijn wel wat opgeschoten in de personele sfeer, zal ik maar zeggen.' Uit een aktetas haalt hij een envelop met foto's tevoorschijn. Een ervan legt hij op tafel.

Ik onderdruk een huivering als ik de kop erop zie. NICOLAI.

'Nicolai Makarski, om precies te zijn. Twee keer veroordeeld voor openlijke geweldpleging. Verdacht van mensensmokkel en vrouwenhandel, maar dat is nooit bewezen. Meneer kon zich een dure en slimme advocaat veroorloven, en getuigen waren niet te vinden. Hij is de rechterhand van Dan Tudorache, knapt voor hem alle vervelende klusjes op.'

Hij legt opnieuw een foto op tafel. Een man met een welvarende kop, wat toegeknepen ogen, een opvallende snor en een boksersneus kijkt ons aan.

'Heeft een van jullie deze man ooit gezien?'

'Ik,' zegt Brigitte. 'In hotel Marilyn. Daar stond hij met... eh... iemand te praten.'

'Dan Tudorache, de grote baas,' zegt Molenaar. 'Leider van een Roemeense maffiabende. Houdt zich bezig met vrouwenhandel, gedwongen prostitutie, drugshandel, witwaspraktijken, liquidaties, noem het hele zootje maar op.'

'Waarom pakken jullie die klootzak niet op als jullie zo veel over hem weten?' vraagt Brigitte verontwaardigd.

Molenaar glimlacht wrang. 'Dat kan niet zonder bewijzen. Hij heeft zijn zaakjes perfect voor elkaar. Ik heb hier nog een paar foto's voor je, Brigitte.' Molenaar schraapt zijn keel. 'Wil je er alsjeblieft heel goed naar kijken en zeggen wie je herkent?'

Hij legt een A4'tje met een aantal portretten boven op de foto van Nicolai.

Brigitte bekijkt de beelden. 'Moet ik daar iemand van kennen?'

Opnieuw schraapt Molenaar zijn keel. 'Je zou ze als klant gehad kunnen hebben.'

'Ik ken er niet één van.'

'En deze?' Een ander A4'tje wordt voor haar neergelegd.

Ze blijft er opvallend lang naar kijken. 'Hebben ze iets met de verdwijning van Lianne te maken?'

'Zou kunnen. Daar proberen we achter te komen.'

'Waarom wilt u dan weten of ze bij míj zijn geweest?'

Ze blijft me verbazen. Ze toont solidariteit met haar klanten, want dat ze er een heeft herkend, is duidelijk.

'Dat kan ik nog niet zeggen. Als je iemand herkent, dan kan dat van groot belang zijn voor het onderzoek. Dat verzeker ik je.'

'Worden die dan gearresteerd?'

'Betaalde seks met minderjarigen is strafbaar.'

'U gaat ze dus oppakken?'

Weer de meervoudsvorm. Ze heeft meer dan één man herkend.

Molenaar schudt zijn hoofd. 'Ik niet, daar is een andere afdeling voor. Ik wil alleen weten of ze bij jou op bezoek zijn geweest.'

Ze aarzelt nog steeds. Niet uit de school klappen, geen namen noemen, lijkt een tweede natuur voor haar te zijn.

'Oké, maar u hebt het niet van mij,' besluit ze na lang aarzelen.

'Ik zal mijn bron niet prijsgeven,' stelt Molenaar haar gerust. 'Wel zou je kunnen worden opgeroepen als getuige, mocht het tot een rechtszaak komen.'

'Mag ik dat weigeren?'

'Als je geen getuigenis wilt afleggen, kan niemand je daartoe dwingen. Maar maak je daar nu nog geen zorgen over. Zover is het nog lang niet.'

Nog steeds aarzelt Brigitte. Uiteindelijk wijst ze een foto aan.

'Weet je het zeker?' vraagt Molenaar.

Ik merk dat hij zijn adem inhoudt. Zijn oogleden knipperen opvallend snel.

'Heel zeker.'

Brigitte frunnikt aan een gouden kettinkje om haar hals. Ergens wordt bij haar een snaar geraakt. Voelt ze zich schuldig omdat ze verraad pleegt?

'Je had het net over "ze",' probeert Molenaar. 'Staat er nog iemand op die je kent?'

Ze knikt, kijkt ons niet aan en blijft zenuwachtig met het kettinkje spelen.

‘Hij.’

Ze wijst naar een man met een kalend hoofd en een zwarte bril.

Molenaar schrikt. Met een ruk staat hij op, doet een stap in de richting van het raam, bedenkt zich en gaat weer zitten.

‘Het beroerdst mogelijke scenario,’ laat hij zich ontvallen.

Hij heeft zijn lippen op elkaar geklemd.

‘We hebben dit vanochtend in onze bespreking als het minst waarschijnlijke beschouwd. Dus toch. We zullen onze plannen moeten bijstellen.’

Hij staart een poosje naar buiten. ‘Sorry, maar ik kan er verder niets over zeggen. Eén ding is nu zeker: we mogen geen enkel risico meer nemen. Daarom gaan we jullie zo snel mogelijk verplaatsen naar een safehouse, een bungalow ergens in een bos, die we continu zullen bewaken.’

Ik ben sprakeloos. ‘Jullie? Ik moet daar dus ook heen?’

‘Dat hebt u goed begrepen. Tudorache en zijn handlangers weten niet wat Brigitte u allemaal heeft verteld. U vormt daardoor een even groot risico voor hen.’

‘En waarom zou het daar veiliger zijn dan hier?’

‘Omdat we jullie er ongezien heen gaan brengen. Nu weten ze waar ze jullie kunnen vinden.’

‘Hoezo? Weten ze dan al dat Brigitte hier zit?’

‘Er staat sinds gisteravond beneden een onbekende te posten. Ik heb het nog niet verteld om jullie niet ongerust te maken.’

Ik moet dit even verwerken.

‘Jullie kunnen die man toch arresteren? Dan hebben jullie meteen iemand die kan zeggen waar Lianne is,’ zegt Brigitte hoopvol.

‘Je kunt iemand niet arresteren omdat hij ergens staat of rijdt. Je kunt hoogstens zijn papieren controleren, maar veel schiet je daar waarschijnlijk niet mee op.’

‘Is het beslist nodig dat we hier weggaan?’ vraag ik door.

‘Als onze verdenkingen juist zijn, zeker. De belangen zijn veel groter dan ik aanvankelijk dacht. Brigitte is de spil waar onze hele zaak om draait, de kroongetuige, en daar moeten we zuinig op zijn.' Hij loopt naar de voordeur. 'Dan ga ik snel wat dingen regelen. Reken er maar op dat jullie hier morgen vertrekken.'

'Wacht even,' zeg ik snel. 'Ik heb een voorstel. Die bungalow trekt me niet zo. Kunnen we niet in het buitenland onderduiken? Mijn ouders wonen in Venetië. En ik was toch al van plan om deze week naar ze toe te gaan.'

Brigitte kijkt verbaasd en lijkt niet te weten wat ze ervan moet vinden.

Molenaar reageert lauw. 'We kunnen jullie daar niet beveiligen. Bovendien neemt de Italiaanse politie het niet automatisch van ons over zodra jullie daar aankomen. Zoiets is alleen te regelen als jullie aanwezigheid daar noodzakelijk is, en dat is niet het geval.'

'Jullie kunnen ons toch ongezien naar Schiphol brengen? Hoe zouden ze er dan achter kunnen komen waar we zijn gebleven?'

'We weten niets over hun buitenlandse contacten. We houden er rekening mee dat hun invloed ver reikt.'

'Het zou wel heel toevallig zijn als ze een mannetje in Venetië hebben zitten dat naar ons uitkijkt. Dat gelooft u toch zelf niet?'

Hij aarzelt. 'Als we even aannemen dat ze er geen lucht van krijgen dat jullie naar het buitenland gaan,' denkt hij hardop, 'dan is het niet uitgesloten dat jullie bij uw ouders voorlopig veilig zijn.'

'Voorlopig?'

'Passagierslijsten en vluchtgegevens liggen niet op straat, maar zijn ook niet top secret. Weet u wat? Ik ga het met mijn collega's bespreken. Heb jij je identiteitskaart bij je, Brigitte?'

'Tuurlijk. Dat is tegenwoordig toch verplicht?'

'Prima. Zorg in elk geval dat er een koffer klaarstaat. We zien nog wel waar jullie naartoe gaan. Ik regel iemand die bij Brigitte thuis wat kleding en toiletspullen ophaalt. Haar moeder was gisteravond pas laat thuis, toen lukte het niet meer. We houden telefonisch contact.'

'Meen je het echt dat ik met je mee mag naar Venetië?' vraagt Brigitte als Molenaar is vertrokken.

'Anders had ik het niet gezegd. We hebben daar een groot huis. Ruimte zat.'

'En vinden je ouders het zomaar goed dat ik meekom?'

'Ik zou niet weten waarom niet. Toen ik Sylvester nog niet kende nam ik wel eens een vriendin mee naar Venetië.'

'O,' zegt ze zacht.

23

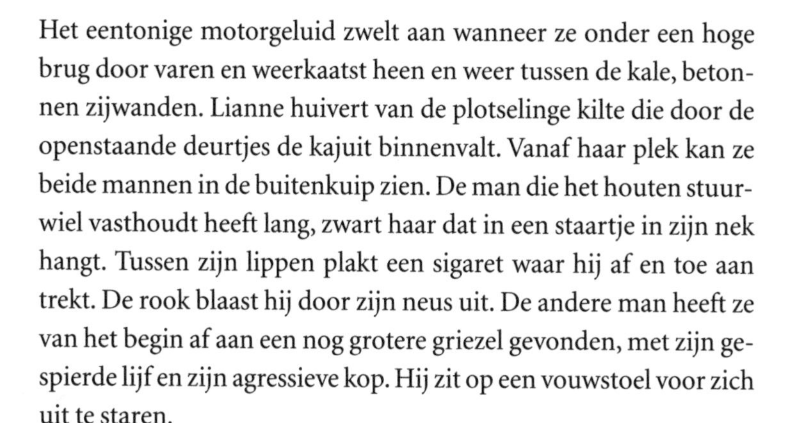

Het eentonige motorgeluid zwelt aan wanneer ze onder een hoge brug door varen en weerkaatst heen en weer tussen de kale, betonnen zijwanden. Lianne huivert van de plotselinge kilte die door de openstaande deurtjes de kajuit binnenvalt. Vanaf haar plek kan ze beide mannen in de buitenkuip zien. De man die het houten stuurwiel vasthoudt heeft lang, zwart haar dat in een staartje in zijn nek hangt. Tussen zijn lippen plakt een sigaret waar hij af en toe aan trekt. De rook blaast hij door zijn neus uit. De andere man heeft ze van het begin af aan een nog grotere griezel gevonden, met zijn gespierde lijf en zijn agressieve kop. Hij zit op een vouwstoel voor zich uit te staren.

De rivier is na de brug iets breder geworden en de bebouwing op de oevers is verdwenen. Onverwachts geeft de man bij het stuurwiel meer gas. Ze moet zich schrap zetten om niet te vallen. De man die bij haar voeten ligt kreunt. Haar hebben ze op een bank gezet, met een rugkussen; hem hebben ze zonder pardon naar binnen geschopt. Omdat zijn handen en voeten met ijzerdraad strak aan elkaar zijn gebonden, net als bij haar, kon hij zijn val niet opvangen. Zijn hoofd knalde tegen een kastje naast de ingang, en hij viel met een klap op de vloer. Als zijn mond niet was dichtgetapet, had hij het uitgeschreeuwd.

Zijn van pijn vertrokken gezicht draait haar kant op. Even kruist zijn doodsbange blik haar betraande ogen. Ze snikt ingehouden, probeert in paniek een prop slijm weg te slikken, die ze niet kan uitspugen omdat ook haar mond met tape is dichtgeplakt. Het lukt haar nauwelijks om voldoende lucht door haar neus naar binnen te krijgen. Snel en onregelmatig haalt ze adem. Haar hoofd voelt steeds lichter. Ze merkt nog dat ze opzij zakt en dat het geluid van de motor zwakker wordt. Dan geeft ze zich over aan de stilte.

Herrie, geratel van een ketting, voetstappen op het dek. Ze komt weer bij en probeert tevergeefs overeind te komen. Het gevecht tegen de benauwdheid en de misselijkheid begint van voren af aan.

In de kajuit is het donker geworden. Alleen door de ingang valt wat schemerig licht naar binnen. De boot helt opzij als een van de mannen boven haar over het gangboord loopt.

'Goed zo?' hoort ze hem vragen.

Het duurt even voordat de andere man antwoord geeft.

'Volgens de dieptemeter staat hier water genoeg.'

Er volgt geen nieuwe vraag. Ze hoort wel een hoop gestommel. Een van de mannen hijgt en kreunt. Dan volgt een zware plons.

Ze hebben de motor uitgezet. De boot ligt stil, op een afgelegen plek waarschijnlijk, waar ze met haar kunnen doen wat ze willen. Ze snikt, begint te trillen, angst knijpt haar keel dicht, zodat ze nog harder moet vechten tegen de benauwdheid.

De mannen komen het trapje af. Een van hen schopt de man op de vloer opzij om erlangs te kunnen. In het voorbijgaan trekt de ene griezel haar ruw overeind.

Ze pakken de liggende man aan handen en voeten op en slepen hem naar buiten. De man verzet zich en maakt trapbewegingen. Het levert hem een vuistslag in zijn gezicht op. Ze zetten hem op de stoel in de buitenkuip.

Praten doen de twee niet. Lianne hoort alleen het kabbelen van golfjes tegen de romp en het snuiven van de man op de stoel. Waren haar ogen nog maar niet gewend aan het zwakke licht. Ze kijkt snel de andere kant op als de man met het staartje een stuk ijzerdraad uit een van zijn zakken haalt en het van achteren om de hals van de snuivende man slaat. De kreet die ze slaakt besterft omdat hij geen uitweg heeft. Haar blik blijft rusten op een betonnen parasolvoet die op de rand van de boot staat. Daarna moet ze, ondanks haar weerzin, toch weer kijken naar het sinistere schimmenspel in de buitenkuip. De man die de draad aantrekt staart in de verte, de andere man houdt het slachtoffer in bedwang. Diens lichaam schokt, dan zakt het slap in elkaar.

De mannen kijken bijna tegelijk haar kant op. Ze zit te kokhalzen. Snel achter elkaar ademt ze weer in door haar neus.

'Kloteklus,' hoort ze de man met het staartje nog zeggen. 'Moet dat nou echt net zo met dat kind? Zo gevaarlijk kan ze toch niet zijn?'

De andere man haalt zijn schouders op. 'Ze worden volgens mij al bang als er een muis begint te piepen. Ik voel er ook niet voor. Toni knapt het zelf maar op.'

24

Met een katterig gevoel word ik wakker. Ik heb beroerd geslapen, net als Sylvester, die de hele nacht heeft liggen woelen. We voelden ons allebei slecht op ons gemak met Brigitte in de kamer naast de onze.

Ik heb gisteren geen boodschappen kunnen doen, dus een uitgebreid ontbijt zit er niet in.

'Ik koop onderweg naar mijn werk wel wat,' zegt Sylvester nadat hij zich in *no time* heeft gedoucht en geschoren. 'Zal ik toch niet een paar snipperdagen opnemen zodat ik met jullie mee kan?'

'Bewaar die alsjeblieft om er even tussenuit te gaan als alles achter de rug is.'

Net als we toe zijn aan onze afscheidskus, komt Brigitte met een slaperig gezicht haar kamer uit.

'O, sorry,' mompelt ze. Sylvester steekt een hand naar haar op en zegt kort 'Dag'.

Hij heeft de deur amper achter zich dichtgetrokken of Molenaar belt. 'Wat ons betreft wordt het Venetië. Vliegtickets en vervoer naar Schiphol hebben we al geregeld. Over anderhalf uur worden jullie opgehaald,' deelt hij plompverloren mee.

'U had nogal wat bedenkingen. Zijn die allemaal de wereld uit?'

'Deels. Onze Venetiaanse collega's zijn bereid om assistentie te verlenen, mocht jullie veiligheid toch in het geding komen. Ik zal jullie het 06-nummer geven van een inspecteur daar die ik op de hoogte heb gebracht.'

'Klinkt goed,' zeg ik opgelucht. 'We zorgen dat we klaarstaan.'

Brigitte reageert vrolijk, op het uitgelatene af, als ik haar vertel dat we naar Italië gaan. Ze heeft prima geslapen en heeft ons niet meer naar bed horen gaan, zegt ze. Opeens wil ze alles weten over vliegen, het huis in Venetië en mijn ouders.

Ik probeer haar opgewektheid over te nemen, maar echt lukken wil het niet. En dus geef ik weinig enthousiaste antwoorden, stel het huis niet mooier voor dan het is – waar ik anders juist toe geneigd ben – en beweer dat vliegen nog wel aangenaam is, maar minder dan vroeger omdat op allerlei zaken wordt bezuinigd, zoals de service en het eten aan boord. Alsof Brigitte zich daar iets bij kan voorstellen.

Even voor half elf krijgen we een telefoontje van Molenaar dat er een taxi voor ons klaarstaat met een rechercheur in burger achter het stuur. Of we naar beneden willen komen en of we niet willen gaan rennen als we buitenkomen. Wel graag zo snel mogelijk lopen. In de hal zal een andere rechercheur ons opvangen en bij ons blijven als we het gebouw verlaten.

De taxi staat langs de stoeprand geparkeerd. De chauffeur opent het achterportier op het moment dat hij ons naar buiten ziet komen, ik met rolkoffer, Brigitte met een weekendtas die gisteravond is gebracht. We moeten nog een meter of tien over de stoep lopen voordat we veilig in de auto zitten. De rechercheur die ons heeft opgewacht blijft vlak achter ons lopen.

Brigitte lijkt zich nauwelijks bewust van de ernst van de situatie. Ze loopt opgewekt naast me, groet de chauffeur vriendelijk en schuift als eerste de auto in.

'Ik zet jullie bagage even weg,' zegt de man. Hij doet het portier achter me dicht en loopt met de bagage naar de achterkant van de auto.

'Wat een krankzinnige toestand,' zeg ik. 'Alsof we echt op vakantie gaan.'

'Dat gaan we toch ook een beetje?' zegt Brigitte. 'Zodra we eenmaal veilig in Venetië zijn, ga ik proberen alles uit mijn hoofd te zetten. Dat moet jij ook doen.'

De chauffeur stapt in en draait zich naar ons om. 'Goedemorgen, dames,' zegt hij op een toon alsof het een gewone ochtend is. 'Jullie moeten naar Schiphol, heb ik begrepen, maar ik ga eerst de andere kant op rijden.'

'Blijf nog even staan, Bert,' klinkt een krakerige microfoonstem door de auto. 'Er wordt gepost, een zwarte BMW. Hij staat naast de uitrit van de parkeerplaats.'

Bert pakt een microfoon van het dashboard. 'Begrepen. Wat gaat er gebeuren?'

'De BMW kan je de weg versperren. Dat gaan we nu voorkomen,' zegt dezelfde stem.

Ik zie vlak bij de uitrit een zwarte auto staan, met één man erin. Ook Brigitte tuurt in die richting. Er is al eerder op haar geschoten en we moeten vlak langs de BMW rijden, binnen schootsafstand, besef ik. En ik zit naast haar.

'Niet zo opvallend die kant op kijken, jongedame,' waarschuwt de chauffeur.

Een grijze stationcar draait het parkeerterrein op. 'Rijden maar,' zegt de microfoonstem.

De stationcar stopt net voorbij de uitrit en blokkeert de BMW. De twee inzittenden praten druk met elkaar, zie ik als we erlangs rijden. Een van hen maakt gebaren naar het flatgebouw. De bestuurder van de BMW rijdt een meter naar voren en toetert om aan te geven dat hij erlangs wil.

Ik kan het niet laten om snel een blik op hem te werpen.

'Die man heeft me bedreigd in het park,' zeg ik met ingehouden adem. Ik weet nu zeker dat ik het me niet had verbeeld.

Bert pakt zijn microfoon. 'Bestuurder van de BMW is door een van de vrouwen herkend.'

De stationcar heeft de weg vrij moeten maken. De BMW scheurt achter ons aan en loopt de achterstand snel in.

'We volgen op afstand,' klinkt het uit de luidspreker. 'Rijd de rondweg maar op en ga daar flink gassen. Als hij hetzelfde doet, hebben we een reden om hem aan te houden.'

We rijden onder een viaduct door, over een rotonde, passeren nog een viaduct en steken de weg over. De BMW volgt op een meter of tien afstand. De bestuurder zit te telefoneren, zie ik als ik achteromkijk.

Voor ons springt een stoplicht op rood. De BMW komt vlak achter ons tot stilstand. Bert volgt het in zijn achteruitkijkspiegel.

Hij vloekt. 'Geen wildwesttaferelen, graag. Mocht hij zijn auto uit komen, duik dan meteen zo diep mogelijk weg,' instrueert hij ons.

De dreiging wordt voelbaar. Bert haalt een vuurwapen uit het dashboardkastje en zet de veiligheidspal op scherp.

'Ik ben zo bang,' fluistert Brigitte. Van haar vakantiestemming is weinig over.

'Hij blijft in zijn auto zitten,' zegt Bert geruststellend. 'Heeft het te druk met bellen. Dat soort jongens gaat niet uit zichzelf tot actie over, die hebben instructies nodig.'

Het stoplicht springt op groen en we rijden de A10 op. Bert gaat meteen naar de linkerbaan en trapt het gaspedaal in. De BMW volgt. Ik zie de snelheidsmeter naar honderddertig kilometer gaan, terwijl hier maar tachtig mag worden gereden. De BMW zit nog steeds vlak achter ons. Plotseling doemt achter hem een blauw zwaailicht op en horen we een sirene. Bert geeft nog wat meer gas. We rijden bijna honderdvijftig, zie ik. Eén idioot die met een slakkengangetje van rijbaan wisselt, en we worden gelanceerd. Ik houd mijn adem in, mijn hart bonkt als een bezetene. Brigitte knijpt hard in mijn arm.

Achter ons haalt de wagen met zwaailicht de BMW rechts in en gaat voor hem rijden, zie ik als ik durf om te kijken.

'Ze geven hem een stopteken,' zegt Bert. 'Ben benieuwd of hij er gehoor aan geeft.'

Het wordt een kat-en-muisspel. De BMW mindert vaart, gaat op de rechterbaan rijden, maar stopt niet. Op het allerlaatste moment zwenkt hij vol gas een afslag op, over de doorgetrokken witte streep. De politiewagen is er te ver voorbij om hem achterna te kunnen gaan.

Ik laat me tegen de rugleuning zakken en adem langzaam uit.

Bert mindert vaart en gaat op de middenbaan rijden.

'Die zijn we kwijt,' constateert hij tevreden. 'Maar hij heeft onze gegevens allang doorgegeven. Jullie gaan dus van auto wisselen.' Hij pakt zijn microfoon van het dashboard.

'Waar gaan we overstappen?' vraagt hij.

'Nog even doorrijden, Bert. Afslag westelijk havengebied, links afslaan. Onder het viaduct kun je stoppen.'

'Doe ik.'

Een paar minuten later wordt onze bagage overgeladen in een onopvallende blauwe personenauto die wordt bestuurd door een vrouwelijke agent. Naast haar zit weer een andere rechercheur, die ons vriendelijk toeknikt.

'We blijven jullie volgen,' zegt de inmiddels vertrouwde microfoonstem. 'Als we iets verdachts zien, melden we het meteen.'

De vrouw zegt dat ze het heeft begrepen.

'Hallo. Ik ben Dora,' stelt ze zich voor. 'En mijn collega heet Michael. Wij gaan jullie op Schiphol aan de marechaussee overdragen.'

25

Ik heb medelijden met Brigitte. Ze is nog nooit op Schiphol geweest, vertelde ze net. Toch krijgt ze geen taxfreewinkels te zien of mensen achter bagagewagentjes in een drukke vertrekhal of borden met vertrektijden. We worden overal omheen geleid, nemen zelfs een andere ingang. Ik vind het wel prettig om alle drukte te vermijden, maar ik ben hier al zo vaak geweest.

'Je weet nooit zeker of ze iemand in de vertrekhal laten posten,' gaf Michael als verklaring.

'Hoe gaat het, Brigitte?' vraag ik.

Ze glimlacht naar me. Sinds we hier met onze beveiligers naar binnen zijn gegaan, lijkt er een last van haar te zijn afgevallen.

'Gaat wel. Jammer alleen dat ik niks van Schiphol kan zien.'

'Als we terugkomen, oké?'

We lopen door een lange gang met aan één kant een glazen wand met uitzicht op geparkeerde vliegtuigen en bagagekarren volgeladen met koffers.

Opeens klinkt het geluid van een binnenkomend sms'je op Brigittes mobiel. Ze haalt het tevoorschijn en kan een kreet van verrassing niet onderdrukken.

'Een sms'je van Lianne!'

Ze blijft staan en opent het. Haar ogen schieten over de tekst. Dan verstart ze.

'Lees maar,' zegt ze met trillende stem terwijl ze me haar mobieltje geeft.

Brigitte, help me. Als jij praat ga ik eraan. Je weet niets, je kent niemand. Laat me leven, Lianne.

Onze begeleiders zijn ook blijven staan. Ze nemen ons ongerust op.

'Slecht nieuws?' vraagt Dora.

Ik knik. 'Nogal, ja.'

Er komen twee mannen onze kant op lopen. Onze begeleiders reageren alert, gaan voor mij en Brigitte staan en doen pas weer een stap opzij als de mannen zijn gepasseerd.

'Afschuwelijk, Brigitte,' zeg ik. 'We geven dit direct aan Molenaar door.'

Ze knikt maar wat, weet met haar emoties geen raad.

'Willen jullie doorlopen,' maant Dora. 'Verderop is een ruimte waar de marechaussee jullie overneemt. Daar kunnen jullie telefoneren.'

We worden naar een kale wachtruimte gebracht met plastic kuipstoelen rond een simpele tafel en een laag kastje tegen de wand met daarop een koffieautomaat. De twee rechercheurs trekken er allebei een bekertje uit en drukken op knopjes.

'U ook iets?'

Ik schud mijn hoofd.

Brigitte leest het berichtje nog een keer. 'Er klopt iets niet. Lianne noemt me altijd *Brit*. Ze schrijft onze namen nooit voluit. En waarom eindigt ze haar bericht niet met *Li,* zoals normaal?'

Ze praat meer tegen zichzelf dan tegen mij.

'Dit bericht komt helemaal niet van Lianne! Iemand heeft haar mobiel van haar afgepakt.'

'Iemand?'

'Toni natuurlijk.'

'Probeer eens of je haar kunt bellen,' zeg ik.

Ze drukt de voorkeuzetoets van Lianne in en luistert. 'Haar voicemail.'

'Viel te verwachten.'

Ik bel meteen naar Molenaar om hem op de hoogte te brengen. Hij vraagt of ik Brigitte een bericht op Liannes voicemail kan laten inspreken. Als haar mobiel wordt aangezet om het af te luisteren, kunnen ze die misschien uitpeilen.

Ik geef het verzoek door. Brigitte knikt en belt opnieuw Liannes mobiel.

'Hoi Li,' begint ze onzeker. 'Van mij horen ze niets. Kom je snel terug? Ik wil het goedmaken, ik heb ze heus niet alles verteld. Laat je alsjeblieft wat van je horen?'

Haar hand met het mobieltje zakt naar beneden. Als ik het eruit pak, slaat ze haar handen voor haar gezicht en begint hevig te snikken. Pas wanneer ik een arm om haar heen heb geslagen en haar tegen me aan heb getrokken, kalmeert ze een beetje.

De taak van de rechercheurs zit erop. Twee mannen in marechaussee-uniform nemen ons van hen over. We moeten onze identiteitspapieren laten zien en onze bagage. Een van de twee ritst Brigittes tas open en kijkt er even in. Bij mijn koffer doet hij hetzelfde. Dan begint het lopen weer, door opnieuw een lange gang. Aan het eind ervan opent een van de mannen een deur. Opeens staan we tussen de reizigers, in een veel bredere gang met vervoersbanden.

'Lukt het weer, Brigitte?' vraag ik zachtjes.

Ze knikt. 'Ik heb er een slecht gevoel over.' Met de rug van haar hand veegt ze haar tranen weg. 'Dat sms'je was echt niet van Lianne, honderd procent zeker.'

We komen bij een wachtruimte vol mensen. Toch mogen wij doorlopen, langs de wachtenden, en worden meteen het vliegtuig in geleid. Een stewardess bergt onze bagage op in de bergruimte boven ons hoofd.

'Die kan in elk geval niet zoekraken,' zeg ik gemaakt opgewekt.

'En we hoeven straks ook niet bij de bagageband te wachten.'

We hebben plaatsen helemaal voor in het vliegtuig. Ik laat Brigitte bij het raampje zitten en laat zien hoe ze haar veiligheidsriem moet vastgespen.

Intussen stroomt het vliegtuig vol. Overal staan mensen in het gangpad om hun handbagage op te bergen. Brigitte kijkt er afwezig naar.

'Ik ben bang, Francesca,' zegt ze opeens. 'Misschien leeft Lianne al niet meer, maar mag ik het niet weten zodat ze mij kunnen dwingen mijn mond te houden. Maar ik geloof niet dat Toni haar iets heeft aangedaan. Dat is niets voor hem. Hij beschermt ons juist. Hem is misschien ook iets overkomen, en dat maakt me nog banger.'

'Vanochtend gedroeg je je een beetje alsof je op vakantie ging,' zeg ik zonder in te gaan op wat ze zojuist heeft gezegd.

'De achtervolging en dat sms'je hebben alles veranderd.'

26

Het grootste deel van de vlucht blijft Brigitte in gedachten verzonken. Pas als de gezagvoerder meldt dat de daling naar luchthaven Marco Polo is ingezet, krijgt ze wat belangstelling voor de wereld onder haar.

Beneden glijden, tussen de wolkenflarden door, de besneeuwde toppen van de Dolomieten voorbij, een uitzicht van een haast onwerkelijke schoonheid. Het mist zijn uitwerking op Brigitte niet, want ze blijft gebiologeerd uit het raampje kijken.

'Kunnen we Venetië straks ook zien voordat we landen?' vraagt ze.

'Alleen als er geen bewolking is.'

We duiken een vettig wolkendek in en zien pas weer iets als we vlak bij de landingsbaan zijn. Geen glimp van de oude stad of van de torens van het eilandje Murano, waar we dicht langs moeten zijn gevlogen.

Terwijl het vliegtuig naar de pier taxiet, klinkt achter ons al het geluid van veiligheidsgordels die worden opengeklikt en staan de eerste ongeduldige passagiers al in het gangpad. Omdat we voorin zitten kunnen we als eerste het vliegtuig uit.

Voor de meute uit lopen we langs de douane naar de aankomsthal. Brigitte blijft opvallend dicht bij me. Ze is voor het eerst van haar leven in het buitenland. Nieuwsgierig kijkt ze om zich heen, een kind, ontvankelijk voor nieuwe indrukken. De mensenmassa, een taal die ze niet verstaat, onleesbare teksten op reclameborden weken haar heel even los van de realiteit waarvoor we op de vlucht zijn.

Ik haal mijn telefoon tevoorschijn, zet hem weer aan en stop bij de toiletten.

'Eerst mijn ouders bellen, dan naar de wc, anders haal ik het eindpunt niet.'

'Hoe lang duurt het dan nog voor we er zijn?'

'Hangt ervan af of we snel een taxi kunnen krijgen. De bus kan ook, maar dat duurt me te lang. Laten we onszelf maar een keer verwennen.'

'Een lange rit dus.'

'Nee hoor, een kwartier ongeveer.'

Ze begrijpt er niets van, en ik wil haar niets uitleggen. Hoe meer verrassingen, hoe sneller ze loskomt van het sms'je en haar sombere gevoelens daarover.

'Ciao, papa,' zeg ik blij als ik mijn vader aan de telefoon krijg. In het Italiaans vertel ik dat we geland zijn en dat ik nog een keer bel zodra we met de *vaporetto* vlak bij de halte San Silvestro zijn.

Brigitte staat me nieuwsgierig op te nemen, alsof ze me voor het eerst hoort praten. Intussen is ook mijn moeder aan de lijn gekomen. Ze wil meteen weten wie mijn kennisje is, informeert naar het eten in het vliegtuig. Of dat voldoende was, anders maakt ze nog iets voor ons klaar.

Ik ben weer thuis. De ellende van de afgelopen dagen valt van me af. Met '*a più tardi*' en 'we halen jullie op van de *vaporetto*' beëindigen we het gesprek.

'Ik heb hier tot mijn achtste gewoond,' vertel ik Brigitte. 'Mijn vader is Venetiaan. Hij werkte voor een grote internationale bank en kreeg de leiding over een filiaal in Barcelona. Daar heeft hij mijn moeder leren kennen. Ze was lerares Nederlands aan de Internationale School.'

'Je moeder is dus Nederlandse?'

'Ja. Ze zijn getrouwd toen mijn vader voor zijn werk terug moest naar Venetië. Ze zijn hier negen jaar gebleven. Mijn zusje en ik zijn hier geboren. Toen kreeg mijn vader de kans om een vestiging in Nederland op te zetten. Omdat mijn moeder het geen goed idee vond om midden in onze schooltijd weer terug te verhuizen naar Italië, zijn we zestien jaar in Nederland blijven wonen. Mijn vader heeft ons huis in Venetië nooit willen verkopen. Het is al zo lang in onze familie, en we zijn hier graag.'

'O ja?'

Haar stem klinkt vlak. Het maakt me er weer van bewust dat er een immense kloof gaapt tussen mijn wereld en de hare. Laat ik maar niet al te enthousiast over dit soort zaken vertellen.

'Eerst naar de wc,' zeg ik, een deur openduwend.

Even later zijn we op zoek naar die ene vrije taxi. We hebben geluk, misschien omdat de chauffeur wordt aangetrokken door de blonde lokken van Brigitte. Ik heb in de aankomsthal van het vliegveld al mannen naar haar zien kijken. Lang blond haar, blauwe ogen, tamelijk kort spijkerrokje, wit strak T-shirtje. Op veel Italiaanse mannen werkt zo'n uiterlijk als een magneet. Ik ben benieuwd hoe ze erop gaat reageren als ze het in de gaten krijgt. Of heeft ze het al opgemerkt en laat het haar koud?

'Piazzale Roma, *per favore*,' zeg ik tegen de chauffeur.

'*Sì, signora.*'

Nadat hij onze bagage in de kofferbak heeft gezet, wil hij weten naar welk hotel we moeten. Ongetwijfeld heeft hij een broer of een neef die weet hoe hij de menigte op Piazzale Roma en de uitpuilende lijnboten kan ontwijken en die ons tegen een speciaal tarief met zijn watertaxi over het onvolprezen Canal Grande naar ons hotel kan varen.

Als ik hem duidelijk maak dat ik hier ben voor familiebezoek, begint hij enthousiast in het Italiaans tegen me te praten.

We rijden langs de grauwe buitenwijken van Mestre en draaien dan de lange Ponte della Libertà op, die het vasteland met het hoofdeiland in de *laguna* verbindt. Ik ben er inmiddels aan gewend, maar voor de argeloze toerist moet het een ongelooflijke teleurstelling zijn om in plaats van een zonovergoten stad met kerktorens en kathedralen de hijskranen en schoorstenen van industriegebied Marghera te zien.

'We stappen zo dadelijk over op een waterbus, een vaporetto. Daar moet ik kaartjes voor kopen,' zeg ik tegen Brigitte. 'Op de plek waar we uitstappen is het een compleet gekkenhuis, typisch Italiaans en erg gezellig, maar we moeten er wel goed op onze bagage letten.'

De chauffeur ziet kans om ons in de buurt van de *kiosk* te laten uitstappen. Brigitte gaat op mijn koffer zitten en kijkt om zich heen, terwijl ik aansluit bij de rij voor de kaartverkoop.

Als ik terugkom met de kaartjes, lijkt Brigitte zichzelf weer wat te hebben hervonden. Ze kijkt belangstellend naar de drukte op het water, de komende en gaande lijnboten, en de rij mensen bij wie we aansluiten.

'Welke boot moeten we hebben, Francesca?'

'Lijn 1, dan hoeven we niet over te stappen.'

Het lukt ons om, na het nodige geduw en getrek, aan boord te komen van de eerste boot die aanlegt, en een plekje voorop te vinden. Brigitte heeft zowaar een blos op haar wangen gekregen.

Het laatste stuk van onze reis over het Canal Grande is ook voor mij nog steeds fascinerend. Elk jaargetijde, elk uur van de dag, oogt de stad anders, ruikt ze ook anders. Het is een vaart door de historie, langs kerken en *palazzi* die de welvaart van weleer weerspiegelen, ondanks hun afbrokkelende muren en bladderend pleisterwerk. De laagstaande septemberzon beschildert ze met okergele, rode, bruine en blauwe pasteltinten, en tovert er hier en daar een goudgele glans op die er iets van het glorieuze verleden aan teruggeeft. Als we langs het Ca' d'Oro varen kan ik de geërodeerde gevel moeiteloos visualiseren met het laagje goud erop, symbool voor de rijkdom van de bewoners.

Brigitte heeft vooral oog voor het scheepvaartverkeer. Werkboten, vuilnisboten, vrachtscheepjes, vaporetti, watertaxi's, motorbootjes en heel veel gondels krioelen over het onstuimige wateroppervlak.

'We hebben geluk met het weer,' zeg ik. 'Als het regent ziet het er lang niet zo mooi uit. Wat vind je van die palazzi?'

'Palazzi?' Ze kijkt me zo onnozel aan dat ik in de lach schiet.

'Die gebouwen daar, en daar,' wijs ik. 'Dat waren vroeger paleizen.'

'O. Mooi.'

Ze kijkt alweer naar een met groente en fruit afgeladen scheepje dat vlak langs ons vaart. Ik besluit er niet op door te gaan. Morgen zal ik haar meenemen naar het Piazza San Marco en haar de Basilica en het Palazzo Ducale laten zien, al vermoed ik dat ik niet veel van mijn historische of kunsthistorische kennis aan haar kwijt zal kunnen.

In de verte doemt de Rialtobrug op, het moment om naar mijn ouders te bellen dat we eraan komen. Ik haal mijn mobiel tevoorschijn.

'We moeten nog iets afspreken, Brigitte,' zeg ik als ik mijn moeder op de hoogte heb gesteld.

'O ja? Wat dan?'

'Het lijkt me niet verstandig mijn ouders alles uit te leggen,' stel ik voorzichtig voor. 'Je bent de dochter van een vriendin van mij, en je moet er een poosje tussenuit omdat je vader en moeder in scheiding liggen. Dat geeft veel spanning en ruzie, en daar dreig jij aan onderdoor te gaan. Kun je met dat verhaal uit de voeten?'

'Ja, hoor. Hé, wat mooi!'

Haar aandacht wordt getrokken door een goudkleurige gondel met een fraai versierde voorsteven, die uit een zijkanaaltje komt varen. Ze kan haar ogen niet afhouden van de gondelier in wit-rood gestreept shirt, zwarte broek en strohoed met rood lint.

'Morgen gaan we van alles bekijken en dan vertel ik ook wat over die gondels,' beloof ik. 'Luister even goed, Brigitte. Ik wil niet dat mijn ouders te weten komen dat we op de vlucht zijn. Laten we het vooral gezellig maken.'

'Mij best hoor. Je vertelt maar wat je wilt. Ik doe wel mee.'

We varen onder de Rialtobrug door. De oplichtende gebouwen links voor me, het palenwoud met de gondels ertussen, de rode zonwering boven de terrassen aan het water en de oranje en gele gevels van de palazzi erboven, geven mij zoals altijd het gevoel van thuiskomen. Brigitte heeft alleen maar belangstelling voor de met toeristen beladen gondels en de grote drukte op de brug. Haar aandacht gaat uit naar heel andere dingen dan de mijne. Ze beleeft wat om haar heen gebeurt ook anders. Daardoor luistert ze nauwelijks naar wat ik zeg.

'We moeten zo uitstappen,' waarschuw ik.

'Hier? Wonen je ouders langs het water?'

'Nee, een klein stukje lopen ervandaan.'

De boot staat niet meer volgepakt, dus we kunnen zonder veel moeite bij het hekje komen dat als uitgang dienstdoet. Leunend tegen de reling tuur ik de kade af. Ze staan er al. Mijn vader lang en slank, met zilverwit haar, voor zijn doen informeel gekleed in een strak gesneden, donkerblauw colbert en een lichte broek, maar zonder stropdas; mijn moeder in een vrolijk gekleurde jurk met een vestje tegen de wind. Zodra ze me in de gaten krijgen, beginnen ze te zwaaien. Enthousiast zwaai ik terug.

'Zijn dat ze?' vraagt Brigitte. Ik hoor verbazing in haar stem. 'Wat een deftige mensen.'

Moet ik bij díé mensen logeren? bedoelt ze.

'Wacht maar tot je ze leert kennen, Brigitte. Ze zijn erg aardig.'

27

Brigitte doet haar best om de vragen die mijn moeder haar stelt zo goed mogelijk te beantwoorden. Hoe lang kent ze mij al en waarvan, waarom is ze met mij meegekomen? Ze herhaalt wat ik heb voorgezegd, dat haar moeder een goede vriendin van me is en dat ze de laatste tijd zo veel heeft meegemaakt dat ze er een tijdje tussenuit moest.

'Echt iets voor Francesca om iemand met problemen te helpen,' zegt mijn moeder. 'Venetië is een geweldig medicijn om nare dingen te vergeten en je leven weer op te pakken.'

Na een korte wandeling stoppen we voor een blauw geschilderde deur. Mijn vader duwt de koperen klink naar beneden.

'Welkom, Brigitte,' zegt hij en hij nodigt haar met een armzwaai uit om als eerste onze binnentuin te betreden. De klimroos staat nog in bloei, valt me als eerste op, en hier en daar hangt nog een citroen aan de boompjes. Mijn vader loopt naar de voordeur en haalt hem van het slot. Daarachter begint een marmeren trap met de in het midden enigszins uitgesleten treden die ik al mijn hele leven ken.

'Ons paleisje,' zegt mijn moeder. 'Het ligt niet direct aan het Canal, maar we hebben hier wel minder last van vocht.'

Brigitte aarzelt om naar boven te gaan.

'Geef je tas maar aan mij.' Mijn vader heeft Brigittes tas uit haar hand gepakt en draagt hem tegelijk met mijn koffer naar boven.

'Daar is je logeerkamer,' wijst hij. 'Loop maar mee, dan zet ik je tas er vast neer.'

'Een lief meisje,' zegt mijn moeder zachtjes achter haar rug. 'Ze lijkt een beetje op Mariella toen ze net zo oud was. Die was alleen niet zo verlegen.'

'Dat gaat wel over. Ik ga haar even op haar gemak stellen.' Als ik de kamer binnenkom zet mijn vader net het raam open, dat uitkijkt op de binnentuin. Ertegenover staat een breed bed. Het hoofdeinde is versierd met houtsnijwerk en een koperen knop aan beide kanten. Brigitte staat er verbaasd naar te kijken.

'Antiek,' zegt hij. 'Eind achttiende eeuw, net als het plafond.'

Brigitte staart naar het hoge plafond met gebeeldhouwde versieringen.

'Mooi,' zegt ze met een geforceerde glimlach op haar gezicht.

'Voel je je niet lekker?' vraag ik. 'Je ziet zo bleek.'

'Een beetje moe. Ik ben niet zo gewend aan reizen.'

Niet veel later, als we in de salon aan de thee zitten en ik met mijn moeder overleg wat ze straks voor het avondeten zal klaarmaken, besef ik pas goed hoezeer Brigitte zich een buitenstaander moet voelen. De namen van de gerechten zeggen haar niets. Mijn moeder vraagt vriendelijk om haar mening, en zo te zien zegt Brigitte maar op goed geluk dat ze het prima vindt. Met mijn vader wil het gesprek al helemaal niet vlotten. Hij informeert op wat voor school ze zit, maar de namen van de verschillende schooltypes zeggen hem niets, en zij weet niet goed hoe ze het moet uitleggen. Of ze broers en zussen heeft, vraagt hij dan. Meer dan een kort 'nee' kan ze er niet op antwoorden. De reis dan maar, zie ik mijn vader denken. Of alles een beetje vlot verliep. Hij kijkt er gelukkig niet vreemd van op als Brigitte vertelt dat ze voor het eerst heeft gevlogen. Hij kan nu gelukkig zelf een verhaal kwijt over vliegangst en reisstress, waar hij nog regelmatig last van heeft, ook al heeft hij veel gevlogen in zijn leven.

Mijn moeder en ik zijn eruit wat we gaan eten. Ik wil Brigitte net iets over het Italiaanse eten vertellen, als haar mobieltje gaat. Ze kijkt geschrokken op.

'Ga maar even naar je kamer,' stel ik snel voor. 'Daar kun je ongestoord praten.'

~

Toni, ziet Brigitte in het schermpje. Terwijl ze naar de logeerkamer loopt, drukt ze het telefoontje tegen haar oor.

'Met Brigitte.'

'Hé, moppie. Goed dat ik je hoor.'

Zijn vertrouwde, relaxte stem, alsof er helemaal niets aan de hand is.

'Ik wil weten wat er met Lianne is gebeurd,' zegt ze kalm.

'Dat weet ik niet, daar probeer ik juist achter te komen. Jou hebben ze niet te pakken gekregen, hè. Wat ben ik daar blij om.'

Brigitte duwt de deur van de logeerkamer achter zich dicht. Francesca hoeft niets van dit gesprek te horen. Uiteindelijk kent ze Toni langer dan Francesca, en heeft hij minstens zo veel voor haar gedaan als zij.

'Wie zijn die "ze"?'

'Keiharde maffiajongens, die *chickies* zoals jij en Lianne rauw opvreten. Dat probeer ik te voorkomen, maar je maakt het me wel erg moeilijk.'

Roemeense maffia, zei Molenaar. Daarvoor zijn ze op de vlucht, en níét voor Toni, die zich zorgen om haar blijkt te maken.

'Wat ben je stil. Er staat toch niet iemand naast je die je vertelt wat je moet zeggen, hè?'

'Nee, ik ben alleen.'

Ze hoort hem opgelucht ademhalen.

'Oké, dan valt er nog iets te redden. Zolang ze jou niet te pakken hebben, houden ze zich gedeisd en geef ik nog iets voor het leven van Lianne. Heb je veel verklikt aan de smerissen?'

'Valt wel mee. Als Lianne niet was verdwenen, had ik nooit met een smeris gepraat,' reageert ze opstandig.

'Je hebt dus wel hun vragen beantwoord,' zegt hij zonder erop in te gaan. 'Over hotel Marilyn?'

'Waarom ben je niet naar onze afspraak daar gekomen?'

'Omdat... Snap je dat nou niet? Ik sta onder druk, ik word bedreigd omdat eerst Lianne en nu jij met de smerissen praten. Op het laatste moment werd het te gevaarlijk voor me om naar je toe te komen.'

'Ze hebben daar op me geschoten. Wist je dat?'

Het lijkt of hij zijn adem even inhoudt. 'Nee, dat wist ik niet. Vreselijk voor je. Maar je bent er godzijdank goed van afgekomen, begrijp ik.'

Het klinkt of hij echt opgelucht is. 'Met een heleboel geluk, ja.'

'Waarom heb je je mond niet gehouden, dan was het nooit gebeurd. Wat heb je trouwens nog meer verteld?'

'Ik moest foto's bekijken en klanten aanwijzen. Dat is alles.'

'En heb je dat gedaan?'

Ze hoort spanning in zijn stem.

'Ja, waarom niet? Ze hadden die foto's, dus die mannen waren al bekend. Wat maakt het dan nog uit?'

'Wat maakt het dan nog uit?' herhaalt hij langzaam. 'Heel veel, alles eigenlijk. Doe alsjeblieft niet nog meer domme dingen. Ik krijg er de schuld van en ben mijn leven niet meer zeker. Kunnen we niet samen ergens onderduiken? Waar hebben ze je eigenlijk heen gebracht? Vertel op, Brigitte, wat voor mooi plekje hebben de smerissen voor je geregeld? Dan weet ik waar ik een veilig heenkomen kan zoeken, als het nodig is.'

'Dat mag ik niet zeggen.'

'We hebben elkaar altijd vertrouwd, Brigitte. Ik heb je van oom Teun verlost en mijn lippen stijf op elkaar gehouden over wat ik wist. Ik heb je vertrouwen nooit geschonden. Maar dat ze mij er nu de schuld van geven dat jij stomme dingen hebt gedaan, kan je geen donder schelen. Laat Toni maar in de stront zakken die hij voor jou heeft opgeruimd. Dank je wel, Brigitte. Zoiets had ik van jou nooit verwacht.'

Ze wil nadenken, alles rustig op een rijtje kunnen zetten. Het is waar, hij heeft haar van oom Teun verlost.

Achter haar wordt de kamerdeur geopend.

'Is er iets, Brigitte?'

Francesca. Die is er ook nog. Zij loopt ook risico's en daarom mag ze niet zeggen waar ze is. Niet zolang ze er niet helemaal zeker van is of ze Toni nog kan vertrouwen.

'Ik mag het je niet vertellen,' herhaalt ze. 'Misschien als ik weet hoe het met Lianne is.'

'Dat kán ik je niet zeggen. Begrijp je dat dan niet?'

Het klinkt bijna hulpeloos, en dat uit de mond van Toni.

'Nee, ik begrijp nergens meer iets van.'

Resoluut verbreekt ze de verbinding. 'Dat was Toni,' zegt ze tegen Francesca. 'Hij wilde weten waar ik was, maar ik heb het niet verklapt.'

28

'Ze voelt zich niet lekker. Laat haar maar even tot zichzelf komen,' zeg ik tegen mijn ouders.

'Hoe oud is ze eigenlijk?' wil mijn vader weten.

'Vijftien.'

'Zo'n jong ding mag toch niet moe worden van een paar uur reizen.'

'Ze heeft nogal wat meegemaakt de laatste tijd en dat heeft haar flink aangegrepen.'

'Dat valt haar aan te zien,' zegt mijn moeder meelevend. 'Over een paar dagen trekt ze wel bij. Hoe lang was je van plan te blijven, Francesca?'

'Dat weet ik nog niet. Het hangt ook een beetje van mijn werk af. Ik ga even mijn koffer uitpakken en mijn kleren ophangen. Zie jullie zo weer.'

Het is een smoes om Molenaar te kunnen bellen. Ik zou hem melden dat we goed waren aangekomen. Dat zou ik waarschijnlijk zijn vergeten als ik hem niet van Toni's telefoontje naar Brigitte op de hoogte had moeten stellen. Zo snel neem ik overal afstand van als ik hier ben.

Elke keer dat ik mijn kamer binnenkom, word ik weer blij. Een kamer die trouw als een hond ligt te wachten tot je terugkomt, zo ongeveer voelt het. Alles is nog precies zoals ik het een paar maanden geleden heb achtergelaten. Alleen het dekbed is opengeslagen, als welkomstgroet van mijn moeder. Ze heeft ook een vers boeketje bloemen op het nachtkastje gezet.

Hier heb ik een groot deel van mijn jeugd gespeeld en geslapen, samen met Mariella. Later, toen we in Nederland woonden, heb ik hier heel wat vakanties doorgebracht. Als mijn leven wat te turbulent wordt, of als ik het domweg even niet meer zie zitten, dan is dit mijn toevluchtsoord.

Ik sla de deuren van de mahoniehouten hangkast open. Er hangen elegante zomerjurkjes en blouses in, een zijden kimono uit Thailand en mooie shirtjes die ik hier heb gekocht maar nooit mee naar huis heb genomen. Onderop staan schoenen die ik thuis toch niet draag.

Thuis... Hier wordt dat een relatief begrip, hoewel minder dan vroeger, toen ik Sylvester nog niet kende. Zijn naam is zijn redding, heb ik wel eens plagend gezegd. De dichtstbijzijnde vaporettohalte en de kerk die de omgeving domineert, dragen niet toevallig zijn naam. Hij moest erom lachen, maar moet ook hebben begrepen dat er momenten zijn waarop hij moet concurreren met het huis en de stad waar ik ben geboren.

Voordat ik het nummer van Molenaar kan intoetsen, gaat mijn mobiel over. Brigitte en ik zijn me iets te populair sinds we in Venetië zijn. Nummer onbekend, zie ik op het schermpje.

'Met Francesca.'

'Francesca Rizzardi?' hoor ik aan de andere kant van de lijn.

Ik herken de stem, maar kan hem niet meteen plaatsen. 'Ja,' zeg ik aarzelend.

'Je hebt mij je kaartje gegeven toen je 's nachts naar een opstootje met Marokkaanse jongeren stond te kijken.'

Het kost moeite, maar ik zie kans om vanuit de toestand waarin ik nu verkeer over te schakelen naar de Marokkaanse jongen die zijn vrienden kalmeerde.

'Ik herinner me je. Je zei dat de twee jongens waren aangereden door een dronken automobilist. Dat klopte niet.'

'Er klopt veel meer niet, en daarover wil ik met je praten.'

'Dat kan, maar voorlopig heb ik geen tijd.'

'Het is heel belangrijk,' dringt hij aan. 'Kunnen we niet ergens afspreken?'

'Het spijt me, dat gaat echt niet. Als het zo belangrijk is, dan kun je het me ook door de telefoon vertellen.'

'Morgen dan?'

'Nee. Ik ben een paar dagen niet bereikbaar. Het spijt me echt, want ik ben geïnteresseerd in je verhaal. Gaat het over Fouad?'

'Ja, en over de familie van Khalid. De politie heeft namelijk een paar van hen in de bak gegooid.'

'O?' zeg ik verbaasd. 'Waarom dan?'

Hij aarzelt, maar wil toch graag zijn verhaal kwijt.

'Kunnen we echt niet...'

'Nee, onmogelijk. Als dat je voorwaarde is om verder te praten, beëindig ik nu het gesprek.'

'Niet doen!' zegt hij haastig. 'Het is te belangrijk. Weet je al wat er is gebeurd met de man die de aanrijding heeft veroorzaakt?'

'Nee. Ik heb de zaak niet meer gevolgd.' Wie weet krijg ik het verhaal nu uit een andere hoek te horen.

'Jammer. Er zit nieuws in voor je. Hij is vermoord. Zijn lijk is uit de Amstel gevist.'

'Klinkt luguber.'

'En nu wordt de familie van Khalid van die moord verdacht omdat er een briefje met "Allahu Akbar" op het lijk zat vastgeprikt. Die familie heeft er alleen niets mee te maken. Dat is honderd procent zeker.'

De tekst op dat briefje kan hij niet uit de media hebben. Hoe komt hij dan aan die informatie?

'Hoe weet je zo zeker dat die man dood is en dat er een briefje met die tekst op hem is gevonden?'

'Dat briefje is gebruikt als bewijs dat Marokkanen de moord hebben gepleegd, de familie van Khalid. Daarom zijn ze gearresteerd. Snap je?'

'Niet helemaal. Waarom vertel je dit aan mij en ga je niet naar de politie?'

Ik hoor een meesmuilend lachje. 'Ik kan niets bewijzen, en een Marokkaan wordt meestal niet op zijn woord geloofd.'

'Waarom zou ik je wel geloven? En waarom vertel je me dit?'

'Als alles bekend wordt, verschijnen er vast weer klotestukjes over ons in het nieuws. Misschien dat iemand dan de andere kant van het verhaal kan vertellen. Jij leek me eerlijk, in elk geval niet bevooroordeeld.'

'En wat is die andere kant dan?'

Zijn aarzeling duurt erg lang. 'Ik weet niet goed waar ik moet beginnen. Het zit zo. Die man, een rooms-katholieke priester of zoiets, was een smerige pedofiel die op jongetjes viel en in het geniep afspraakjes met ze maakte.'

'Echt? Hoe weet je dat? En wat moet ik ermee?'

Weer is de jongen een hele tijd stil. 'Omdat hij het met het broertje van Fouad deed,' vervolgt hij dan, 'een jochie van twaalf. Gadverdamme, de gore klootzak. Dat joch is verleid door het geld dat hij ermee verdiende. Hij wist nauwelijks waar hij mee bezig was.'

'En toen kwam Fouad erachter wat zijn broertje deed,' raad ik.

'Klopt, maar niet zomaar. Die pedo-rat begon tijdens een afspraakje opeens ruzie te maken over een cd waarop foto's zouden staan van hem en Fouads broertje. Hij wilde weten door wie die waren gemaakt. Hij werd zelfs agressief. Broertje werd bang, vluchtte in paniek en belde naar Fouad om hulp.'

'En toen heeft hij alles aan Fouad opgebiecht?'

'Niet meteen alles. Hun vader mocht er geen lucht van krijgen. Je wilt niet weten hoeveel schande zoiets over een familie brengt. Hij heeft alleen verteld dat die man bepaalde dingen van hem wilde en dat hij hem bedreigde. Dat was genoeg.'

'En toen zijn Fouad en Khalid op de scooter gesprongen om hem te hulp te schieten.'

'Klopt. Die rat reed net weg toen ze aankwamen. Ze zijn hem gevolgd. Toen hij zijn auto op het parkeerterrein van een hotel wilde zetten, reden ze langs en zagen zijn laptop op de achterbank liggen, zo voor het grijpen. Wie weet wat er daarin over hem te vinden was. Meenemen dus. De rest van het verhaal ken je.'

'Aha. Ik begrijp alleen een paar dingen niet.'

'Zoals?'

'De familie van Khalid heeft die man niet vermoord, zei je. Waarom ben je daar honderd procent zeker van?'

'Niemand wist waar die man woonde, ze kenden zijn naam niet eens. Het zijn allemaal gelovige moslims. Hun geloof verbiedt ze om mensen te doden.'

'Dat kunnen ze dan toch tegen de politie zeggen?'

'Ja, maar die gelooft ze niet vanwege dat briefje met "Allahu Akbar", en om wat er eerder in de kranten heeft gestaan. Uitspraken van Fouad vooral.'

'Oké. Maar waarom bel jíj me dan op? Ik zou dat eerder van Fouad verwachten.'

'Die zit ook in de bak, verdacht van medeplichtigheid. Hij is mijn neef, weet je. Fouad zal met niemand praten over wat zijn broertje deed, uit schaamte.'

'Dan moet jij tegen dat joch zeggen dat hij zelf naar de politie gaat.'

Zijn lach heeft veel weg van hoongelach.

'Een Marokkaanse jongen die uit zichzelf naar de smerissen loopt om te vertellen dat hij homoseks heeft gehad? Dat geloof je toch niet? Trouwens, hij is bang. Iemand heeft gedreigd om een filmpje dat van hem en die pedo is gemaakt op internet te zetten als hij naar de politie gaat. Die doet nooit meer zijn mond open.'

Ik houd even mijn adem in. Puzzelstukjes beginnen op hun plek te vallen.

'Iemand heeft hem bedreigd? Weet je ook wie?'

'Daar probeer ik nu achter te komen, omdat Fouad dat niet kan. Die rioolrat kan dan een bezoekje van ons verwachten,' zegt hij dreigend.

'Ik zou maar naar de politie gaan als je weet wie het is. Dat helpt je gearresteerde neef meer, denk ik.'

Ik hoor hem diep zuchten.

'Wie weet. Nou, ik hoop dat je er wat goeds mee doet.'

'Ik ga je verhaal in elk geval aan de politie doorgeven.'

'Ga je gang. Bewijzen heb ik niet, en Fouads broertje wil onder geen voorwaarde met smerissen praten. Maar misschien kunnen ze er toch wat mee. Wie weet tot ziens.' Hij breekt het gesprek abrupt af.

Ik heb opeens veel meer nieuws voor Molenaar dan onze voorspoedige reis en veilige aankomst, en ga meteen door met telefoneren. Na één keer overgaan neemt hij de telefoon al op.

'Dag, mevrouw Rizzardi. Jullie zijn hoop ik goed aangekomen?'

'Ja, we hebben na een spannend begin een goede reis gehad.'

'Blij dat te horen. Op nog meer slecht nieuws zitten we hier niet te wachten.'

'Slecht nieuws?'

'Dat meisje, Lianne, is gevonden. Vermoord. Op efficiënte wijze tot zwijgen gebracht, laat ik het zo omschrijven. U moet zelf maar beslissen of u het aan Brigitte vertelt of dat u het aan ons overlaat als jullie terug zijn.'

Ik heb Lianne niet persoonlijk gekend, maar het bericht schokt me toch.

'Hoe is ze aan haar einde gekomen?'

'Ze is gedrogeerd, net als u die avond in hotel Marilyn. Een overdosis. Ze heeft er niets van gemerkt. Wellicht had haar moordenaar er vanwege haar leeftijd moeite mee haar te doden. Andere methoden zijn veel goedkoper en net zo efficiënt. Geen sporen van seksueel misbruik overigens. Haar lichaam is gedumpt bij de toegangshekken van begraafplaats Zorgvlied, netjes in een bodybag. Geen vingerafdrukken, na eerste onderzoek geen bruikbaar DNA. Heel professioneel allemaal.'

'Wat afschuwelijk. Ik denk dat ik het voorlopig niet aan Brigitte vertel. Ik heb trouwens ook nieuws voor u. Zojuist werd ik opgebeld door een Marokkaanse jongen.'

Molenaar luistert naar mijn verslag zonder me te onderbreken.

'U hebt toch niet per ongeluk laten vallen waar u bent, hè?'

'Hallo, zeg.'

'Sorry. Ik ga meteen checken of de foto op de cd van het broertje van Fouad is.'

'Na wat mij net is verteld ligt dat nogal voor de hand.'

'Dat denk ik ook. We hebben ze nog niet kunnen kraken, maar we rekenen erop dat er de meest gore rotzooi achter die codes zit. We weten inmiddels ook dat het om grote belangen gaat, mevrouw Rizzardi, en om reputaties die vlekkeloos moeten blijven om het spel voort te kunnen zetten. Details zal ik u besparen, maar het lijkt erop dat Brigitte en u de laatste twee zijn die meer over hen weten dan goed voor ze is. Ze zijn naar jullie op zoek, blijf daar rekening mee houden. Wees alert op elk signaal dat ze in de buurt kunnen zijn.'

'Wat moet ik me daar in vredesnaam bij voorstellen?'

'Wist ik het maar. Ik heb mijn Italiaanse collega, inspecteur Luciano, van de ernst van de situatie weten te overtuigen. Hij kent het adres waar jullie verblijven. Volgens hem een plek met maar één toegangsweg, niet via het water te bereiken. Zo nodig goed te beveiligen. Als er ook maar iets is wat u niet vertrouwt, dan moet u hem onmiddellijk bellen. Hou zijn telefoonnummer alstublieft altijd bij de hand.'

'Ik dacht dat we hier voorlopig veilig waren. Is dat ineens niet meer zo?'

'Ze kunnen onmogelijk weten dat we jullie naar Schiphol hebben gebracht. Maar zoals ik eerder al zei: hun invloed reikt ver. Zolang we niet precies weten hoe ver, moeten we met alles rekening houden.'

'Hebben jullie daarom alvast familieleden van Khalid gearresteerd? U hebt steeds beweerd dat die waarschijnlijk niets met de moord op Van Bladel te maken hebben.'

'Tja... Een lastige kwestie. De pers blijkt lucht te hebben gekregen van die moord, inclusief het gewraakte briefje. Het Openbaar Ministerie heeft die arrestaties laten verrichten om te voorkomen dat de politie nalatigheid wordt verweten, vermoed ik.'

'Vermoedt u?' Ik weet niet wat ik hoor.

'Ik heb niet om hun arrestatie gevraagd,' zegt Molenaar laconiek. 'Maar ik heb het hier niet voor het zeggen. Pas goed op uzelf en op Brigitte. Ik heb er nog steeds goede hoop op dat ze niet weten waar jullie zijn.'

'Wacht, er is nog iets. Brigitte kreeg zojuist een telefoontje van Toni. Hij probeerde haar uit te horen.'

'Dat is goed nieuws, een opluchting bijna.'

'Wat bedoelt u?'

'Iets wat voor u niet van belang is. Nogmaals, wees voorzichtig. We spreken elkaar binnenkort weer.'

Na het gesprek leun ik op de vensterbank om naar de binnentuin te kijken. Het werkt rustgevend. Beelden van vroeger verdringen Molenaar met zijn sombere berichten naar de achtergrond.

Ik ben thuis, straks ga ik heerlijk met mijn ouders en Brigitte eten, daarna pakken we misschien de boot naar het Piazza San Marco en gaan we ergens nog iets drinken. Over Lianne zeg ik niets. Dat zou een enorm drama geven, en hoe moet ik dat aan mijn ouders uitleggen? Daarbij, wat schiet Brigitte ermee op als ze het meteen weet? Laat haar eerst maar eens tot rust komen.

29

Om mijn vader een plezier te doen heeft mijn moeder zich gespecialiseerd in de Italiaanse keuken. Het water loopt me dan ook in de mond als ik de woonkeuken binnenkom en de geuren opsnuif. We starten met een salade caprese. Dan als tussengerecht risotto di mare, waarbij mijn vader een nieuwe fles witte wijn ontkurkt. En als hoofdgerecht eten we gestoofd lamsvlees.

Tijdens de maaltijd praten we over zaken als het koopgedrag van toeristen van cruiseschepen die hier aanleggen; over acqua alta, het water dat elk jaar hoger op het San Marcoplein komt te staan; over Venetiaanse maskers die uit China worden geïmporteerd; en over de trucs waarmee zelfbenoemde parkeerwachters buitenlandse automobilisten op Tronchetto geld uit de zak weten te kloppen.

We spreken geen Italiaans, omwille van Brigitte. Die luistert wel, steekt af en toe een hap in haar mond en neemt een slokje wijn, maar ze houdt zich verder opvallend afzijdig, alsof ze zich heeft voorgenomen om vooral niets van zichzelf bloot te geven. Tegen mijn vader is ze ronduit afstandelijk en ze bekijkt hem af en toe een beetje achterdochtig. Ik schaam me er bijna voor, vooral omdat hij zo zijn best heeft gedaan om voor ons een heerlijk dessert van fruitsalade met bolletjes ijs te maken.

Na de koffie met een glaasje grappa besluiten we niet meer weg te gaan. Brigitte moet haar tas nog uitpakken en zich installeren, en ik wil de tijd nemen om weer eens uitgebreid te douchen. Met een 'rust maar lekker uit' en 'tot morgen' trekken mijn ouders zich terug in hun kamers boven.

Ons huis is groot, waardoor iedereen zijn eigen gang kan gaan. De kamers van Brigitte en mij liggen op de eerste verdieping, evenals de salon, de woonkeuken en een grote badkamer met separaat toilet. Op de verdieping erboven bevinden zich nog een werkkamer annex bibliotheek, een badkamer en twee kleinere vertrekken, waarvan één met tv. Volgens mijn ouders hoort zo'n ding niet in de salon omdat programma's zelden iedereen kunnen boeien. Wie iets wil zien, hoeft anderen daar niet mee lastig te vallen. Mijn vader is er stellig van overtuigd dat van een beeldscherm dat continu aanstaat een ontwrichtende en debiliserende werking uit gaat.

Nu we weer samen zijn, brokkelt de muur van zwijgzaamheid die Brigitte rond zich heeft opgetrokken hopelijk wat af.

'Denk je dat je het hier een poosje kunt uithouden?' vraag ik voor we naar onze kamers gaan.

Ze haalt haar schouders op. 'Dat zal wel lukken, denk ik.'

'Even wennen, misschien?'

'Even?' Ze staat op en loopt een rondje door de salon. 'Weet je wat het is, ik voel me hier gewoon niet zo op mijn gemak. Dit' – ze maakt een brede armzwaai – 'is zo anders dan ik gewend ben. Zelfs jij ziet er anders uit dan in Nederland, veel chiquer gekleed bijvoorbeeld.'

Ik moet erom glimlachen. 'Thuis heb ik geen behoefte aan elegante kleding, voor mijn werk al helemaal niet. Hier voel ik me er prettig bij,' geef ik toe.

'Begrijp je wel waarom ik me hier opgelaten voel?'

Ik knik. 'Iedereen moet wennen aan nieuwe omstandigheden. Probeer er ook van te genieten.'

'Alsof dat zo makkelijk is. We zijn hier niet voor de lol, weet je nog. Net dat telefoontje van Toni... Ik weet nog steeds niet hoe het met Lianne is.'

Ik klem mijn kaken op elkaar. 'Zet het uit je hoofd. Na een nachtje slapen ziet de wereld er een stuk zonniger uit. En morgen laat ik je Venetië zien. Dat wordt een leuke dag, dat beloof ik je.'

Als ik de volgende morgen opsta, is Brigitte al aangekleed. Op de vensterbank leunend staat ze uit het raam te kijken.

'Goedemorgen,' zegt ze opgewekt. 'Heb jij ook zo diep geslapen?'

'Dat doe ik altijd als ik hier ben.' Ik wrijf de slaap uit mijn ogen en neem haar wat beter op. Ze maakt een ontspannen indruk en is in een heel andere stemming dan gisteravond.

'Lekker stil is het hier. Thuis lijkt het soms of de auto's langs mijn bed rijden. En wat een mooie ochtendjas heb je aan.'

Ik laat mijn handen even langs de glanzende stof van de kimono glijden. 'Gekocht tijdens een vakantie in Thailand. Ik heb mijn ouders al horen rondscharrelen, dus ik denk dat we kunnen ontbijten.'

Een kwartiertje later doen we ons te goed aan verse brioches, die mijn moeder zojuist bij de bakker heeft gehaald, en een kop schuimige cappuccino.

'Dit is veel gezelliger dan tussen het wassen en aankleden door snel een boterham naar binnen werken, zoals het thuis altijd gaat,' merkt Brigitte op. 'Nou ja, met mijn moeder is het sowieso niet gezellig,' voegt ze er terloops aan toe.

Ik werp haar een waarschuwende blik toe.

'Je ouders leven dus al gescheiden van elkaar,' concludeert mijn vader.

'Een tijdje al,' bevestigt Brigitte.

De leugen gaat haar goed af. Als mijn moeder probeert iets meer over haar thuissituatie aan de weet te komen, ziet ze kans om wat bedroefd te zeggen dat ze er liever niet over praat. Hoe lang zal het nog duren voordat mijn moeder mij gaat uithoren? Niet uit een verkeerd soort nieuwsgierigheid, maar omdat ze belangstelling heeft voor haar logeetje. Ik moet snel een goed verhaal bedenken en dat met Brigitte bespreken.

'Weet je al wat je Brigitte vandaag wilt laten zien?' vraagt mijn vader, voordat hij de *Gazzettino* openslaat.

'De bekende dingen, denk ik. Ik kijk wel.'

'Alles is nieuw voor me, dus ik vind alles leuk,' zegt Brigitte. 'Ik heb er echt zin in.'

Haar opgewektheid is verbazingwekkend en niet gespeeld, of ik moet me heel erg vergissen. Ze kan alle ellende rond Lianne toch niet opeens zijn vergeten? Waarom dan deze metamorfose?

Een half uurtje later begeven we ons onder de toeristen. Ze raakt niet uitgekeken op de kronkelende straatjes met de bruggetjes, de pleinen, de vele winkeltjes en de markten rond de Rialtobrug. Ik slenter maar een beetje mee, verbaas me erover dat ze nog nooit een inktvis heeft gezien of opgestapelde schaaldieren, en lach als een *vu cumprà*, bij wie ze naar namaakmerktassen staat te kijken, plotseling zijn kleedje met handelswaar oppakt en door de menigte wegrent.

'Best zielig als je steeds maar wordt weggejaagd,' zegt ze. Boos kijkt ze naar de politiemannen die over de brug aan komen slenteren. 'Ik wilde juist een tas bij hem kopen.'

'Dat kun je straks ook doen. Zodra de *carabinieri* weg zijn, komt hij terug.'

'O, gelukkig. Eh... Francesca. Hoe lang doe je er vanuit Nederland met de auto over om hierheen te komen?' vraagt ze opeens.

'Waarom wil je dat weten?'

'Nou... Stel dat Toni toch heeft ontdekt waar ik ben en me achterna wil komen.'

Ik trek haar aan een arm mee omdat ze midden in de toeristenstroom is blijven stilstaan.

'Toni wéét niet waar je bent, Brigitte. Maar als je het per se wilt weten: wanneer je in één keer kunt doorrijden, dan is het zo'n zestien uur.'

'Zo lang?'

Ze blijft staan voor de etalage van een winkeltje met maskers, hoeden en carnavalskleding: een driedimensionaal schilderij in felle, vrolijke tinten. Een onheilspellend uitziend masker met roofvogelsnavel, dat ooit als bescherming tegen de pest werd gedragen, is de enige dissonant. Brigitte vergaapt zich aan de *civetta*'s met katachtige snorharen, goudkleurige ogen en bovenop pauwenveren.

'Zo één wil ik hebben,' zegt ze.

'Je wilt een tas kopen en een masker, en wie weet wat nog meer. We krijgen het nog druk als het zo doorgaat.'

'Vandaag kan Toni nog niet hier zijn, dus we hebben de tijd,' laat ze zich ontvallen. 'Het kan volgens jou niet, maar met Toni weet je het nooit,' voegt ze er snel aan toe. 'Ik heb trouwens contant geld nodig.' Ze diept een bankpasje op uit de schoudertas die ik haar heb geleend. 'Wil je me alsjeblieft laten zien hoe dat hier werkt?'

'Alleen als je stopt over Toni. Hij kan niet weten waar je bent, geloof me nou.'

'Ik heb gisteren een hele tijd met hem gebeld. Als de politie een mobieltje kan uitpeilen, waarom zou hij dat dan niet kunnen?'

'Je denkt toch niet dat de politie iedereen zomaar even kan opsporen door zijn mobiel te laten uitpeilen? Daarvoor is medewerking van een provider nodig.'

'Dat zal Toni ook wel weten. Je moet hem niet onderschatten.'

'En een gerechtelijk bevel om belgegevens van een klant te overleggen,' vervolg ik.

Ze kijkt me aan met een mengeling van verbazing en ongeloof. 'Hoe weet jij dat allemaal?'

'Ik heb een vriendin die bij de politie werkt. Ze vertelt me wel eens wat. Jij belt hier via een Italiaanse provider. Jouw positie kan alleen via Italiaanse zendmasten worden uitgepeild. Toni moet om te beginnen weten dat je in Italië bent en dan nog eens uitzoeken via welke provider je hier belt. Die zou hij dan moeten dwingen om mee te werken. Dat zie ik echt niet gebeuren. Jij moet Toni niet óverschatten. En nu wil ik er niets meer over horen, oké?'

'Mij best, hoor.' Ze heeft haar aandacht alweer verplaatst naar een glittermasker met hartjes en witte veren. 'Zullen we dan nu geld gaan pinnen, dan kan ik ook iets voor jou kopen. Vind je een Guess-tas mooi, of een ander merk?'

'Heel erg lief van je, maar ik hoef echt niets van je te hebben. Gebruik je geld maar om iets leuks voor jezelf te kopen.'

'Ik heb geld zat, hoor.'

'Weet ik, maar het hoeft echt niet.'

Ze bekijkt me achterdochtig. 'Het heeft te maken met de manier waarop ik het geld heb verdiend, hè? Ik stop met dat werk, Francesca, maar het geld maak ik wél op.'

'Heb je veel geld op de bank staan?' kan ik niet nalaten te vragen.

'Meer dan drieduizend euro. Eerst wilde ik het bewaren voor later, als ik trouw en kinderen krijg. Nu wil ik het snel opmaken en er daarna nooit meer aan denken.' Ze kijkt speurend rond. 'Waar kunnen we een geldautomaat vinden?'

'Loop maar mee.'

Er is een geldautomaat tegenover het Fondaco dei Tedeschi, eens een paleis, daarna een groot handelscentrum met hotel, nu postkantoor.

Nadat ze haar geld uit de automaat heeft gehaald, stel ik voor om later op de dag de spulletjes te kopen die ze op het oog heeft. Eerst gaan we sightseeën.

Het Piazza San Marco is levendig als altijd.

'Het lijkt de Dam wel, met al die duiven,' zegt Brigitte lachend. Lang kijkt ze naar de façade van de basiliek. Ze wil zelfs naar binnen, waar ze opmerkt dat ze zich heel klein voelt worden. Omdat ze nog nooit een basiliek heeft gezien, maken de koepel, het overdadige mozaïekwerk, de sierlijke bogen en de heiligenbeelden een verpletterende indruk.

Na de bezichtiging wil ze ergens op het immense plein gaan lunchen. Ik moet een beetje lachen en vertel haar dat een kop koffie hier minstens tien euro kost en het eten een veelvoud daarvan. Ongelovig kijkt ze me aan.

'Je zit me te stangen, hè?'

'Nee, echt niet. Ik weet iets veel beters, als je er geen bezwaar tegen hebt om een stukje te lopen.'

Gino, de eigenaar van restaurant Pepino, begroet me even later enthousiast en informeert meteen hoe lang ik blijf, hoe het met mijn ouders is en wie de *bella signorina* is die me vergezelt.

'Ik kom hier al jaren,' vertel ik. Omdat Brigitte per se wil weten hoe inktvis smaakt, bestellen we calamari, klaargemaakt à la Gino.

We kiezen een tafeltje bij het raam, dat uitkijkt op een calle, waar slechts af en toe toeristen passeren.

'Wat wil je hierna gaan doen, Brigitte?' vraag ik.

Ze blijkt op school van de Brug der Zuchten te hebben gehoord. Die gaan we dus bekijken, besluiten we. Daarna kunnen we een boot terugnemen naar de Rialtobrug, waar ze souvenirs kan kopen.

Ik sta op om naar het toilet te gaan en mijn handen te wassen. Wanneer ik terugkom, staart ze uit het raam en nipt van haar glas.

'Hoe kan iemand hier de weg eigenlijk vinden?' vraagt ze plotseling. 'Ik zou voortdurend verdwalen.'

Ze is toch niet van plan om in haar eentje op stap te gaan?

'Waarom wil je dat weten?' vraag ik nadat ik een slok wijn heb genomen.

Ze kijkt me aan alsof ze ergens op wordt betrapt. 'O, zomaar.'

'Je wilt toch niet alleen gaan rondzwerven?'

Ze schudt haar hoofd. 'Nee, waarom zou ik? Ik vroeg het me gewoon af. Al die smalle straatjes en steegjes lijken zo op elkaar. En er staan geen richtingbordjes.'

'Dan heb je niet goed gekeken. Op een paar plekken staan pijlen die wijzen in de richting van de Rialtobrug en het Piazza San Marco.'

'Als je elkaar bent kwijtgeraakt, dan moet je daar dus afspreken.'

'O, is dat het?' Ik ga er niet verder op door, omdat Gino borden met antipasti voor ons neerzet. Hij wijst Brigitte op de verschillende soorten worst en kaas, en wenst ons *buon appetito*. Ze vindt het wel lekker, maar het hoofdgerecht, de calamari, vindt ze niet veel smaak hebben.

Later, als we langs het water naar de plek lopen vanwaar de Brug der Zuchten te zien is, valt het me op hoe stil ze is. Op de vaporetto naar de Rialtobrug vertel ik over het scheefgezakte en onverkoopbare Ca' Dario, en de vloek die erop rust, een verhaal vol zelfmoorden en een massamoord. Ze luistert er plichtmatig naar.

Terug bij de markt rond de Rialtobrug krijgt ze haast, alsof ze alles per se vandaag wil kopen.

'Je kunt best wat rustiger aan doen, hoor,' merk ik op. 'We zijn hier nog wel een paar dagen.'

'Dat weet je nooit,' antwoordt ze zonder me aan te kijken.

's Avonds, na het eten, zegt Brigitte dat ze erg moe is en het liefst naar haar kamer gaat. Het komt haar op een verbaasde blik van mijn vader te staan.

'Dat kind heeft nogal wat moeten verwerken,' leg ik weer uit. 'Laat haar maar. Morgen is het vast over.'

'Tienerkuren,' kan mijn vader niet nalaten te zeggen. 'We hebben een dochter gehad die zich net zo gedroeg.'

'Die dochter heb je nog steeds, hoor,' zeg ik scherp. Niet erg handig, maar nu moet ik wel doorgaan. 'Uit onderzoek naar de hersenen van tieners blijkt dat die nog niet zijn uitontwikkeld, pa. Dat verklaart voor een deel hun gedrag. Je mag ze dus niet alles voor honderd procent aanrekenen. Dat gold ook voor Mariella. Ze was pas zeventien, toen.'

Er valt een lange stilte.

'Heb je Mariella onlangs nog gesproken of gezien?' vraagt mijn moeder dan.

'We bellen af en toe en we hebben elkaar gezien op de bruiloft van Sasja. En deze week hebben we samen geluncht.'

'Vandaar,' gromt mijn vader.

Mijn moeder negeert hem. 'Hoe is het met haar?'

'Goed. Ze werkt op een makelaarskantoor en daar heeft ze het naar haar zin. Alleen heeft ze even genoeg van mannen, omdat die haar niets dan ellende hebben gebracht. Nu pas heb ik begrepen waarom ze toen zo gesloten was en haar beslissing nam zonder er met jullie of met mij over te praten. Als ik eerlijk ben zou ik in haar plaats hetzelfde hebben gedaan.'

Er valt een pijnlijke stilte. Mijn ouders vermijden het om mij of elkaar aan te kijken.

'Waarom was ze dan zo verdomde koppig?' vraagt mijn vader ten slotte.

'Uit schaamte, omdat ze zich veel te makkelijk had laten verleiden tot een oppervlakkig, luxe leventje met een criminele macho. Jullie hadden al genoeg met haar te verduren gehad. Ze wilde 't jullie niet aandoen om te weten hoe erg ze zichzelf werkelijk had vergooid. Als ze het kind had laten komen, dan had het haar de rest van haar leven aan die man en die afschuwelijke periode uit haar leven herinnerd. De gedachte alleen al was haar te veel. Ze kon het me na al die jaren niet zonder tranen vertellen. En geloof me alsjeblieft, dat waren ook tranen van spijt om wat ze jullie heeft aangedaan. En ze vindt het verschrikkelijk dat ze jullie nooit meer ziet.'

Er valt opnieuw een stilte. De ogen van mijn moeder zijn vochtig. Mijn vader kucht nadrukkelijk en staat op.

'Ik moet dit even verwerken,' zegt hij voor hij de kamer verlaat.

30

Ik word wakker van krakende vloerplanken. Iemand loopt door de gang langs mijn kamer.

Acht uur geweest, zie ik op de wekker. We hebben afgesproken dat we zouden uitslapen, en opstaan op dit tijdstip valt daar wat mij betreft niet onder.

Ik hoor de deur naar de hal in het slot vallen. Dit kan niet waar zijn. Mijn vader en moeder komen bijna nooit zo vroeg naar beneden. Het kan dus alleen Brigitte zijn. Ik spring uit bed, ben met twee stappen bij het raam en schuif het gordijn opzij, precies op tijd om haar van de benedendeur naar de poort te zien lopen. Ik heb het raam al opengeduwd.

'Brigitte!' schreeuw ik naar beneden. Ze schrikt, houdt even in, maar loopt dan snel naar de poort, zonder op te kijken.

'Brigitte! Niet alleen weggaan.'

Ik kan roepen wat ik wil, ze reageert niet. Ik word razend. Dit kan ze niet maken. Zelfs al wil ze alleen maar iets gaan kopen, dan nog had ze het moeten zeggen, en ze had zeker op mijn geschreeuw moeten reageren.

Ik gris lukraak een broek en een shirtje uit de kast en stop mijn mobiel in mijn zak. Nog geen twee minuten later hol ik de trap af, de tuin door en de poort uit. Op straat is Brigitte nergens te zien. De enige route die ze kent is die naar de Rialtobrug, schiet het door me heen. Ik ren het straatje uit, de calle Paradiso in, met allesbehalve paradijselijke gevoelens. Op de Riva del Vin, bij de vaporettohalte San Silvestro, blijf ik hijgend staan.

Geen spoor van Brigitte. Vanuit de richting San Marco nadert een boot. Als ze daarmee ergens naartoe had willen gaan, had ze hier moeten wachten. Als ze doorgelopen is naar de Rialtobrug, zou ik haar moeten zien. Tenzij ze een steegje in is gedoken toen ze mij zag aankomen, of zich schuilhoudt op een van de terrasjes langs het water waar de eerste toeristen van hun ontbijt genieten.

Maar waarom zou ze dat doen? Wat ben je van plan, Brigitte? Waarom doe je me dit aan?

Ik hol over de kade naar de brug, waar de dagelijkse drukte op gang komt. Op een ander moment had ik genoten van de ochtendzon die net boven de palazzi uit komt en langs het uiterste puntje van de brug strijkt. Toeristen richten hun camera's, bij de marktkraampjes heerst al volop bedrijvigheid, vu cumprà leggen hun kleedjes neer en stallen hun waren uit.

Hijgend stop ik midden op de brug en speur naar beide kanten de straat af. Geen Brigitte. Om wanhopig van te worden. Even verderop zit de man bij wie ze gisteren een tas heeft gekocht. Op een drafje loop ik naar hem toe.

'Heb je dat blonde meisje van gisteren net voorbij zien komen?' vraag ik hem. Toelichting is overbodig. Brigitte is een opvallend type, en ze is zo lang aan het uitzoeken en onderhandelen geweest dat hij haar beslist niet is vergeten.

Hij kijkt verbaasd naar me op. '*Sí signora*,' zegt hij dan. Zijn arm zwaait in de richting van Fondaco dei Tedeschi. 'Ze liep die kant op.'

Ik haal diep adem, bedank hem en haast me naar de andere kant van de brug, waar ik uitkijk op de straat die erlangs loopt.

Geen Brigitte.

Op het kanaal varen twee vuilnisschuiten mijn kant op, onder de brug door glijdt een vaporetto in de richting van Ca' d'Oro. Ik werp er terloops een blik op.

Dan verstijf ik. Daar staat ze, achterop bij de reling, naast een forse man die iets tegen haar zegt.

Toni!

Mijn keel zit dichtgeknepen. Ik zou willen schreeuwen dat ze een onbetrouwbare en ondankbare rotgriet is. Of dat ze ongelooflijk stom is omdat ze die Toni blijkbaar meer vertrouwt dan mij. Toni die deed of Lianne nog in leven is, terwijl hij wel beter weet, die haar wie weet wat allemaal heeft wijsgemaakt.

Waarom heb ik haar gisteren niet op de hoogte gebracht, op een rustig moment, aan het eind van de middag, toen er alle gelegenheid voor was? Als ik dit had voorzien...

Opeens vecht ik tegen de tranen. Hoe kan ik het nog rechtzetten, voorkomen dat ze er met die vent vandoor gaat, haar ondergang tegemoet? Ik moet haar in elk geval achterna, in een boot.

Ik ren de brug weer over naar de halte. Alles is nog niet verloren. De volgende lijnboot komt er al aan. Als ik het nummer zie, schakelt mijn hart over in een hoger ritme. Lijn 4. Die vaart dezelfde route als lijn 1, waar Brigitte en Toni op staan, maar slaat tot het treinstation drie haltes over. Ik neem aan dat ze daarheen gaan en daarna overstappen op een boot naar Tronchetto, waar Toni zijn auto waarschijnlijk heeft geparkeerd. Na wat Brigitte me heeft gevraagd over de rijtijd vanuit Nederland, ga ik ervan uit dat hij met de auto is gekomen.

Bijna asociaal dring ik me naar voren. Terwijl de boot wegvaart, vind ik een plekje bij de reling. Als we de bocht naar links maken, komt lijn 1 al in zicht. Hij heeft net een stop gemaakt bij Ca' d'Oro en steekt nu schuin over naar halte San Stae. Onze boot vaart daar direct naartoe en zal er aanleggen op het moment dat zij verder varen.

Ik knel mijn handen om de reling terwijl ik me alle halteplaatsen voor de geest probeer te halen. Ik weet het vrijwel zeker: na San Stae vaart deze lijn zonder tussenstops verder, terwijl lijn 1 nog twee stops maakt. Zelfs als het één stop meer is, dan nog haal ik ze in, of ik kom tegelijk met hen aan.

En wat dan?

Voor me heeft de boot met Brigitte aan boord afgemeerd bij San Stae. Ik kan er mensen af zien gaan. Brigitte en Toni zijn daar niet bij.

Lijn 1 vaart weg. Onze schipper mindert vaart en legt even later aan.

Ik kan die twee opwachten, maar dan? Moet ik op haar af rennen, haar bij Toni wegtrekken en roepen dat ze gestoord is? Zeggen dat Toni een misdadiger is? Wat kan ik tegen hem beginnen? Hij laat zich zijn prooi niet zomaar afnemen. Eén ding staat voor mij vast: ze gaat niet met die man mee, alleen over mijn lijk. Een griezelig reële beeldspraak. Mijn hersens staan onder topspanning, zijn koortsachtig op zoek naar dat ene goede idee om Toni te slim af te zijn.

We varen alweer. Voor me zie ik lijn 1 uitwijken naar halte San Marcuola. We passeren hem terwijl hij nog aan de kant ligt. Mijn hart maakt een luchtsprong. Tot zover is het gelukt. Ik heb nog even de tijd om iets te bedenken. Onmiddellijk inspecteur Luciano bellen. Kut! Het papiertje met zijn nummer ligt nog thuis. Stom dat ik dat nummer niet meteen in mijn mobiel heb opgeslagen. Dan maar Molenaar.

Ik heb mijn telefoontje al tegen mijn oor gedrukt. Gespannen wacht ik tot hij opneemt. Pas nadat de oproeptoon vijfmaal is overgegaan, neemt hij op.

'Mevrouw Rizzardi. Is er iets gebeurd?'

'Ik heb hulp nodig, maar ik heb het 06-nummer van inspecteur Luciano niet bij me,' zeg ik gejaagd.

'Nogal stom. Is er haast bij?'

'Ja, waarom bel ik anders.' Ik ben nauwelijks in staat om rustig uit te leggen wat er aan de hand is. Toch ziet hij kans om uit mijn ongestructureerde woordenstroom wijs te worden en de situatie goed in te schatten.

'Over hoeveel tijd komt hun boot aan?'

'Een minuut of vijf.'

'Goed.' Zijn stem klinkt rustig. 'Tegen Toni loopt sinds gisteren een internationaal arrestatiebevel vanwege de verdenking van moord op Lianne Karsten. U mag die twee niet uit het oog verliezen. Hoe noemde u de plek waar ze waarschijnlijk van boord gaan?'

'Piazzale Roma.'

'Oké. Dan bel ik inspecteur Luciano. Hij heeft uw 06-nummer. Doe alstublieft niets voordat hij contact opneemt. Wees voorzichtig. Toni is veel gevaarlijker dan hij op het eerste gezicht lijkt.'

Lijn 1 is weggevaren, zie ik. Ik schuifel met mijn telefoontje aan mijn oor naar achteren om Brigitte en Toni in de gaten te kunnen houden. Achter me steekt lijn 1 schuin het kanaal over naar de andere oever, naar Riva di Biasio. Wij varen al in de richting van de brug.

'Ik zal het proberen.'

'Ik vertrouw op u. Er hangt veel van af, mevrouw Rizzardi. Laat dat meisje in vredesnaam niets overkomen.'

We zijn bijna bij de Ponte degli Scalzi als ik lijn 1 weer achter ons op het water zie verschijnen. Ik stop mijn mobiel weg en loop alvast naar het hekje waar we moeten uitstappen. Intussen probeer ik mijn gedachten te temmen. Niets doen, alleen in de gaten houden, zei Molenaar. Grote kans dat ik ze dan kwijtraak. Ze stappen over op een andere boot voordat ik er ben of verdwijnen in het station. Dat gaat me niet gebeuren! Op de een of andere manier moet ik ze dus tegenhouden. Maar hoe?

De boot stroomt leeg. Ik blijf op de kade staan terwijl hij wegvaart. Al snel ben ik omringd door passagiers die straks met lijn 1 mee willen, vooral Italianen. Toeristen van verder weg moeten op dit tijdstip nog aankomen.

Brigitte en Toni staan dicht bij de uitgang. Hoe zal ze reageren als ze me in de gaten krijgt? Voorlopig heeft ze alleen oog voor de man die het touw om de bolder legt en het hekje openklapt. Brigitte en Toni stappen de kade op.

Mijn ademhaling versnelt. De mensen om mij heen schuifelen alvast naar voren om te kunnen instappen zodra de laatste passagier eraf is. Ik doe een paar passen de andere kant op, met de uitgestapte passagiers mee, mijn rug naar Brigitte en Toni gekeerd. Als het goed is lopen ze vlak achter me. Onverwachts draai ik me om. De man achter me moet uitwijken om niet tegen me op te botsen en sist geïrriteerd.

Dan sta ik oog in oog met het tweetal. 'Wat ben je van plan, Brigitte?'

Tot mijn verbazing klinkt mijn stem ijzig kalm. Langslopende passagiers werpen nieuwsgierige blikken op ons. Zo'n grote man met een veel jonger blond meisje. Je ziet het ze denken.

'Dat gaat je niets aan,' krijgt ze er na de eerste schrikreactie opstandig uit. 'Ik ga met Toni mee en je houdt me niet tegen.'

'Dat ga ik dus wel doen.' Voor het eerst kijk ik Toni in zijn donkere ogen. Molenaar heeft gelijk. Hij ziet er eerder goedmoedig uit dan gevaarlijk. 'En jij haalt het niet in je hoofd om me tegen te werken.'

'Oei. Een gevaarlijk vrouwtje.'

Zijn eerste woorden, maar vooral de minachtende toon waarop hij ze uitspreekt, verraadt hem, net als de vervaarlijke fonkeling in zijn ogen.

De laatste passagiers zijn langs ons gelopen en we staan nog maar met z'n drieën op de kade.

'Ga verderop een kop koffie drinken en laat mij en Brigitte met rust, dan kom je er heelhuids van af,' stelt hij voor.

'Waarom, Brigitte?' vraag ik, hem negerend.

'Doe wat hij zegt, Francesca. Als ik niet meega, overleeft Lianne het niet, en dat is dan mijn schuld.'

Haar stem klinkt wanhopig. Ze doet snel een stap opzij om langs me heen te glippen, maar ik zie kans haar bij een arm te grijpen. De adrenaline moet door mijn aderen gieren, want dit soort dapperheid had ik van mezelf niet verwacht.

Brigitte probeert zich los te rukken, maar ik geef niet op. Ook Toni pakt haar bij een arm.

'Heb je niet gehoord dat ze met mij mee wil? Loslaten, bitch.'

'Het spijt me dat ik het je niet eerder heb verteld, Brigitte, maar ik wilde het je besparen. Lianne is dood.' Ik schreeuw de laatste woorden uit. 'De politie in Nederland heeft haar lijk eergisteren al gevonden en jouw Toni wordt van moord verdacht. Ga niet met hem mee, je overleeft het niet. Begrijp je dat dan niet?'

Brigitte staart me ontzet aan. Ze moet beseffen dat ik niet zomaar zoiets vreselijks zeg.

'Ze liegt, schatje.' Toni trekt haar naar zich toe, en omdat ik niet loslaat, mij ook. 'Kom mee. We trekken de aandacht.'

'*Aiuto*!' roep ik. 'Help! Deze man probeert mijn zusje te kidnappen! Aiuto!'

Ik zie toeschouwers hun telefoontjes pakken. Met een blik op ons beginnen ze te bellen. Opeens krijgen meer mensen in de gaten dat er iets vreemds aan de hand is.

'Aiuto!' roep ik nog een keer, terwijl ik aan de arm van Brigitte blijf trekken.

'Vervloekte bitch. Is dit wat je wilt?' Razendsnel heeft Toni een mes tevoorschijn gehaald, dat hij op de keel van Brigitte zet. 'Loslaten, of je laat me geen keus,' snauwt hij.

Ik hang nog steeds aan Brigittes arm. Mijn god, hij wil dit kind voor mijn ogen afmaken.

Door al het getrek zijn we steeds dichter bij de waterkant gekomen, waar hij nu nog geen halve meter van is verwijderd. Mijn oog valt op een bolder met uitsteeksels.

'Nee!' schreeuw ik zo hard als ik kan.

In plaats van te blijven trekken, duw ik Brigitte uit alle macht tegen hem aan. Hij verliest zijn evenwicht en stapt snel naar achteren. Zijn voet blijft achter de bolder haken. Hij struikelt en valt achterover, met zijn armen in de lucht zwaaiend, tevergeefs zoekend naar houvast. Brigitte heeft hij losgelaten, net als het mes, dat na hem in het water plonst.

Twee carabinieri stormen de kade op, juist op het moment dat Toni bovenkomt en wanhopig met zijn armen op het water slaat. Meteen gaat hij weer kopjeonder.

Hij kan niet zwemmen. De agenten hebben het ook begrepen. Een van hen trekt zijn jasje uit, geeft zijn koppelriem aan zijn collega en springt het water in. Iemand komt aansnellen met een reddingsboei.

Ik heb Brigitte naar me toe getrokken en mijn armen om haar heen geslagen. Ze trilt over haar hele lichaam, tranen lopen over haar wangen.

'Is het waar van Lianne? Heeft hij dat gedaan?'

'Molenaar heeft het me gisteren verteld. Hij wilde jou ook ijskoud vermoorden.'

De agent heeft Toni te pakken gekregen, op zijn rug getrokken en de reddingsboei om zijn hals geschoven zodat zijn hoofd erop kan rusten. De kade is te hoog om ze er hier uit te halen.

'Hij komt eraan,' roept de agent op de kade naar zijn collega in het water. 'Lukt het nog?'

Als antwoord komt een hand uit het water omhoog met opgestoken duim.

Onder de brug verschijnt een politieboot met gillende sirene en blauw zwaailicht, die in een wolk van schuim onze kant op stuift. Als de boot naast de twee drenkelingen tot stilstand komt en er een ladder overboord gaat, ziet de agent kans die te grijpen en Toni te helpen erop te klauteren. Hulpvaardige handen trekken hem omhoog. Hij moet begrepen hebben dat het over en uit is, want hij verzet zich niet als de handboeien om zijn polsen klikken.

Voorstelling afgelopen. Achter ons begint het publiek zich weer te verspreiden.

'Wilt u meekomen naar het bureau, mevrouw?' vraagt de agent die is achtergebleven.

'Graag zelfs. Nu meteen, wat mij betreft. Die man mag niet vrijkomen.'

'Van mij had hij mogen verzuipen,' zegt Brigitte bitter.

Ik schrik van haar toon. Ze kijkt me aan, met roodbehuilde ogen, waarin het verdriet heeft plaatsgemaakt voor haat.

'Ik vertrouwde hem. Ik geloofde wat hij zei over Lianne.'

'Waarom vertrouwde je mij dan niet?'

'Jou vertrouwde ik ook, maar hem ken ik al veel langer. En jij hebt niets gezegd over Lianne. Dat had je wel moeten doen, dan was dit niet gebeurd.' Het klinkt verwijtend.

'Dan had Toni nu nog vrij rondgelopen en was jij niet veilig geweest,' is het enige wat ik erop weet te zeggen.

31

Gearmd lopen we vanuit het politiebureau terug naar het station. Intussen bel ik mijn moeder om haar op de hoogte te brengen. Ik moet haar nu wel iets vertellen over de werkelijke reden van Brigittes aanwezigheid. Ze is het slachtoffer van een loverboy, die ook nog deel uitmaakt van een bende criminelen. Daarvoor is ze op de vlucht, maak ik ervan. Mijn moeder reageert in eerste instantie geschokt, dan krijgt medelijden de overhand, vooral als ik uitleg hoe ze onder druk werd gezet, met Liannes leven als inzet.

Brigitte werpt af en toe een blik op mijn gezicht. Ik glimlach haar geruststellend toe. Ik neem haar achteraf niets kwalijk en ze is weer net zo welkom als voordat ze er stiekem tussenuit kneep. Ze schaamt zich dood, zou alles wel willen doen om haar gedrag goed te maken, heeft ze al een paar keer gezegd.

'Maak je geen zorgen, mam. We gaan eerst naar een rustig restaurantje om bij te komen en gaan dan naar huis,' sluit ik het gesprek af.

'Gaat het?' vraag ik als ik mijn telefoon in mijn zak heb gestopt.

'Een beetje,' antwoordt ze timide. 'Ik wil niet dat jij thuis problemen krijgt omdat ik stomme dingen uithaal. Ik durf je ouders bijna niet meer onder ogen te komen.'

'Daar hoef je niet bang voor te zijn, vertrouw me maar. Mijn moeder weet nu zo'n beetje wat er speelt.'

'Ik heb niet steeds meegeluisterd. Heb je haar alles verteld?'

'Voor een deel. Wat jij allemaal hebt meegemaakt in je korte leventje is voor mijn ouders te veel om in één keer te verwerken. Mijn vader vergeleek jou gisteravond al met mijn zus.'

'Ik wist niet dat je een zus had.'

'Ze is een paar jaar jonger dan ik. Jij slaapt nu in haar kamer. Het is een heel verhaal en het ligt nogal gevoelig.'

'Lijken je zus en ik soms op elkaar?'

'Een beetje, en jullie vertonen hetzelfde dwarse pubergedrag,' zeg ik glimlachend. 'Breek je hoofd er maar niet over.'

'Gaan je ouders me nu niet heel raar aankijken?'

'Mijn moeder begreep alles meteen. Bij mijn vader duurt zoiets wat langer, maar voor we thuis zijn heeft mijn moeder het hem wel uitgelegd.'

'Had ik maar zulke ouders.'

Zwijgend lopen we naast elkaar verder.

'Eén ding begrijp ik nog niet, Brigitte. Daar zit ik al een tijdje mee. Hoe kon je zo stom zijn om Toni te vertellen dat we in Venetië zaten?'

'Dat heb ik helemaal niet verteld. Hij heeft me een tweede keer gebeld. Jij stond op dat moment onder de douche. Hij wist dat we in Venetië waren, zei hij. Als hij me moest komen zoeken, zag het er slecht uit voor Lianne. Alleen door ergens met hem af te spreken, zodat we snel terug konden gaan, kon ik haar leven redden.'

'Dat je daarin trapte. Kleine domkop.'

'Ik wílde het geloven. Ik was ervan overtuigd dat Lianne nog leefde en dat ik haar snel terug zou zien. Dat gaf me hoop. Daarom hebben wij gisteren toch een leuke dag gehad.'

'Terwijl ik al wist...' Ik zucht en schud mijn hoofd.

We zijn weer terug bij de kade waar Toni in het water is gevallen. Het aan- en afmeren van vaporetti gaat continu door.

'Toni wist dus al dat je in Venetië was?' vraag ik voor alle zekerheid nog een keer.

'Dat zei hij, ja.'

'En je weet heel zeker dat je hem niet op de een of andere manier zelf op het spoor hebt gezet?'

'Nee. Hoe dan? Ik heb het echt niet verraden. Dat denk je toch niet, hè?' Ongerust kijkt ze naar me op.

'Nee, dat denk ik niet. Maar hoe kon hij het dan weten? Heeft hij daar iets over gezegd?'

'Nee. Misschien heeft hij toch mijn gsm laten uitpeilen.'

'Ik heb je gisteren al uitgelegd dat dat vrijwel onmogelijk is. Iemand moet het hem hebben verteld. Dat zou betekenen dat Toni niet de enige is die weet dat we hier zijn.'

Ik pak mijn telefoon weer en druk op de voorkeuzetoets van Molenaar. Dat zal een aardige telefoonrekening worden zo langzamerhand.

'Wat een opluchting, mevrouw Rizzardi. U kon het weer niet laten, hè?'

'Sorry?'

'Toch op eigen houtje actie ondernemen, ook al heb ik dat sterk afgeraden.'

'U hebt al met inspecteur Luciano gesproken, begrijp ik.'

'Ja. Hij vond dat u erg veel risico hebt genomen en dat jullie geluk hebben gehad.'

'Dat heeft hij zojuist ook tegen mij gezegd, maar als ik niets had gedaan, waren ze misschien ontsnapt. En dat was het laatste wat we wilden, toch?' vraag ik afgemeten.

'Laten we het er maar op houden dat het goed is afgelopen.'

'En nu maar hopen dat de rest net zo goed afloopt.'

'De rest? Wat bedoelt u?'

'Het gaat hierom. Ik herinner me dat u nogal opgelucht was toen ik vertelde dat Toni Brigitte opbelde om erachter te komen waar ze zat.'

'Mijn verdenking tegen iemand bleek daardoor ongegrond.'

'Dan heb ik slecht nieuws voor u. Toni wist wel degelijk dat Brigitte hier was. En zíj heeft het hem niet verteld. Daarom dacht ze dat ze wel met hem móést afspreken om Lianne niet in gevaar te brengen.'

'Wát zegt u? Wist hij dat al op de avond dat jullie daar arriveerden?'

'Ja. Nogmaals, Brigitte heeft het hem niet verteld. Daar ben ik honderd procent zeker van.'

'Fuck,' laat hij zich ontvallen. 'Zwaar foute boel. Reken er maar op dat ze snel een ander mannetje sturen om de klus te klaren. Die zal niet meteen klaarstaan, maar morgen moeten we er zeker rekening mee houden. Misschien vanmiddag al. Ik sluit namelijk niet uit dat ze contacten hebben met de maffia en via hen een Italiaan inhuren voor de klus.'

Vanaf het moment dat ik Brigitte uit ons huis zag vluchten, heb ik geknokt tegen de hoofdpijn. Die was net een beetje weggezakt, maar komt nu in alle hevigheid terug.

'We zijn hier dus nog steeds niet veilig. Zijn we dan zo belangrijk?' vraag ik verbijsterd.

'Brigitte is onze kroongetuige.'

'Kroongetuige tegen wie?'

'Dan Tudorache. Met haar getuigenis kunnen we zijn netwerk blootleggen, om het simpel te zeggen. Dat laat hij niet gebeuren.'

'Waarom arresteren jullie die man niet als jullie alles al weten?'

'Gebrek aan bewijs. Advocaten maken gehakt van ons. Toni zal waarschijnlijk zwijgen als het graf. Die weet hoe lang de arm van Tudorache is. Blijft over Brigitte. En u, omdat Brigitte u alles wat ze weet kan hebben verteld. Daar zullen ze geen risico's mee willen nemen.'

'Kortom: we moeten snel ergens anders onderduiken,' stel ik vermoeid vast.

'Ik bespreek het met inspecteur Luciano. U hoort het vandaag nog, van mij of van hem. Ik reken erop dat jullie vanaf nu thuisblijven.'

'We komen net uit het politiebureau en we wilden onderweg naar huis ergens iets eten en drinken om een beetje tot rust te komen. Dat kan toch nog wel?'

'Toni had Brigitte binnen een dag gevonden.'

'Binnen twee dagen, bedoelt u, en omdat ze hier ergens met hem had afgesproken,' corrigeer ik. 'Hij heeft haar dus niet hoeven zoeken.'

'Oké dan. Mits jullie daarna meteen naar huis gaan.'

32

We strijken neer in een leeg eethuisje op een pleintje net buiten het toeristische centrum. Brigitte heeft zich in zichzelf teruggetrokken en is weinig spraakzaam. Hoewel we allebei niet veel trek hebben, vind ik dat we toch iets moeten eten. We zijn vanmorgen allebei zonder ontbijt de deur uit gerend. Brigitte vindt het wel best. Ik bestel voor mezelf een lasagne verde, Brigitte wil een pizza. Nadat onze drankjes zijn gebracht, blijven we allebei voor ons uit staren, als een bezadigd stel dat elkaar weinig meer heeft te zeggen. Die uiterlijke rust van haar is volgens mij schijn. In haar hoofd moet het stormen. Intussen komen bij mij nieuwe vragen op. Hoe kon Toni weten dat Brigitte in Venetië was? Bij mijn beste weten waren alleen rechercheurs daarvan op de hoogte. Zwaar foute boel, zei Molenaar bijna vloekend. Wat bedoelde hij? Brigitte en ik lijken de spil te zijn in een levensgevaarlijk spel dat ik niet begrijp en waar ik geen enkele grip op heb.

Ons eten is net geserveerd als mijn telefoon overgaat. Sylvester, zie ik. Vreemd. Ik heb hem gisteravond voor ik naar bed ging uitvoerig gesproken en vanavond zouden we elkaar op dezelfde tijd weer bellen.

'Hoi, liefje. Kon je niet wachten tot vanavond?'

'Dag, schat. Ook dat niet, natuurlijk. Maar ik heb nieuws dat je vast meteen wilt horen.'

Ik ook, maar laat hij eerst maar vertellen wat hij kwijt wil.

'Brand maar los. Ik probeer intussen wel mijn lasagne te eten, anders koelt hij af.'

'Moet ik straks terugbellen?'

'Nee, ga je gang, en let niet op mijn gesmak.'

Hij grinnikt. 'Ik praat, eet jij lekker verder. Oké. Sinds gisteren hebben de media zich op dat lijk met het Allahu Akbar-briefje gestort. Met alle heisa uit rechtse kringen van dien. Dus: alle criminele allochtonen het land uit, islam bron van alle kwaad, je kunt het wel uittekenen. Het gekke is dat die Marokkaanse jongeren weinig weerwoord bieden. Ze ontkennen wel alles, behalve dat Khalid en Fouad 's nachts een laptop uit een auto hebben gestolen. Maar dat was geen ordinaire straatroof. Meer willen ze er niet over kwijt. De identiteit van die Van Bladel ligt nu ook op straat: een geestelijke uit het bisdom Den Bosch, die gastcolleges kwam geven aan de theologische faculteit van de Vrije Universiteit. Laat hij nou de kas van zijn parochie hebben leeggeplunderd voordat hij naar Amsterdam vertrok.'

Sylvester blijft even stil, wachtend op een reactie van mij, neem ik aan. Ik eet echter onverstoorbaar verder. Dit is lang niet zo schokkend als de moord op Lianne, of wat ik vandaag allemaal heb meegemaakt.

'Die Marokkanen hebben vast meer dan alleen een laptop gejat, roepen de antimulticulti's in koor,' gaat Sylvester door. 'Dat geld is namelijk spoorloos. Het enige tegengeluid zijn sussende woorden van het stadsbestuur, de burgemeester voorop, om de zaak niet te laten escaleren en de boel bij elkaar te houden. Het bewijs dat Marokkanen voor eigen rechter hebben gespeeld ligt op straat, en de frustraties nemen toe. Wordt vervolgd,' besluit Sylvester laconiek.

'Ik weet wel wat er speelt,' zeg ik tussen twee happen door. 'Die Marokkaanse jongen die we hebben gesproken toen we naar dat opstootje stonden te kijken, heeft me eergisteren opgebeld.'

'Hè? Aan wie je je kaartje hebt gegeven?'

'Die, ja. Hij heeft me iets verteld wat veel verklaart, maar wat ik niet wereldkundig kan maken zonder bepaalde mensen vreselijk te beledigen of in hun eer aan te tasten.'

'En aan mij vertel je het ook niet?'

'Ga er maar van uit dat Van Bladel werd gechanteerd vanwege pedofiele exercities met een Marokkaanse jongen.'

'Mijn god. Dat is niet misselijk,' zegt Sylvester. 'Hoeveel geestelijken zou je op dat gebied nog kunnen vertrouwen? Hoe is het trouwens met Brigitte?'

'Een beetje stilletjes.' Ik glimlach naar Brigitte, die niet veel belangstelling voor het gesprek lijkt te hebben.

'Heb je je lasagne al op?'

'Ja hoor. Heerlijk.'

'En ik maar hard werken. Geniet van Venetië. Vanavond bellen we weer.'

Hij moest eens weten. Om hem niet ongerust te maken, vertel ik nog maar niets.

'Wat zei je nou over een Marokkaanse jongen, Francesca?' vraagt Brigitte als ik mijn mobiel wegstop. Ze heeft dus toch meegeluisterd.

'Niet van belang. Hoezo?'

'Omdat er wel eens een Marokkaanse jongen in hotel Marilyn kwam.'

'Wat zeg je? Jij was daar toch altijd alleen?'

'Die jongen heb ik daar twee keer gezien. De eerste keer kwam hij uit kamer 16. Ik moest toen wachten.'

'Heb je ook iemand anders uit die kamer zien komen?'

'Ja, een man. Hij draaide zijn hoofd weg toen hij langs me liep, maar ik had hem al gezien.'

'Zou je hem herkennen, denk je?'

'Van een foto? Ik denk het wel.'

Weer iets om aan Molenaar door te geven. Om haar aandacht van wat er net allemaal is gebeurd af te leiden, probeer ik Brigitte wat over haar jeugd te ontfutselen, en over de periode dat haar vader nog leefde. Zodra ik daarover begin, verstart ze en trekt ze een muur op. Over school dan maar. Veel meer dan negatieve uitspraken over leraren en lessen levert het niet op.

De ontvangst door mijn ouders een half uur later ervaar ik als een warm bad. Niks geen gevraag of verwijten omdat ik niet meteen heb verteld wat er speelde. Ze zijn er voor ons, proberen meteen om Brigitte op haar gemak te stellen. Op de een of andere manier lukt het hun zelfs om haar toegankelijker te maken. Ze vertelt opeens wel een paar leuke verhalen over school en leraren die ze aardig vindt. Het kan verkeren. Zal wel iets met dat puberbrein te maken hebben waarmee ik gisteren Mariella's gedrag verontschuldigde.

Na het avondeten spelen we een behoorlijk ingewikkeld kaartspel, dat Brigitte verrassend snel doorheeft. Ze ontpopt zich zelfs tot een fanatieke speelster. Toni, Lianne en andere narigheid lijken even heel ver weg.

Dan piept mijn mobiel. Er moet een sms'je zijn binnengekomen. Sylvester en Molenaar bellen me, Mariella en Marije ook. Wie zou me dan een sms sturen? Waarom weet ik niet precies, maar ik heb er geen goed gevoel over.

Opnieuw klinkt er een piepje. Nog een bericht.

'Ik pas.' Ik leg mijn kaarten op tafel en sta op om bij het raam ongestoord het berichtje te kunnen lezen.

Dat meisje voor je zus. Geen politie. Anders gaat je zus eraan. Instructies volgen.

Ik word misselijk, sta te beven alsof ik koorts heb en kan me nog maar net staande houden. Werktuiglijk open ik het tweede bericht. Een foto van Mariella, vastgebonden, naakt, in dezelfde pose als Lianne. Ik schreeuw het uit, zak op de vloer, jank, krijs, trap met mijn voeten. Mijn moeder zit al op haar knieën naast me, legt een arm om me heen en trekt me tegen zich aan. Als een klein kind druk ik mijn gezicht tegen haar borst.

'Ze krijgt toch geen toeval?' zegt mijn vader.

Het wordt opeens erg licht in mijn hoofd. Ik heb de neiging om heen en weer te wiegen in de armen van mijn moeder, zoals ik deed toen ik kleuter was.

'Een glas water!' schreeuwt mijn moeder. 'Vlug, ze gaat flauwvallen.'

Ik lig languit op de vloer. Aan beide kanten van me zie ik benen, wazig, alsof er matglas voor mijn ogen zit.

'Ze komt weer bij,' hoor ik mijn vader zeggen.

'Zullen we toch niet een dokter waarschuwen?' De bezorgde stem van mijn moeder.

Lang ben ik niet buiten bewustzijn geweest, realiseer ik me. Ik kan ook weer helder denken. Mijn telefoon. Waar is dat ding?

Ik ga zitten. Brigitte staat bij het raam. Ze kijkt naar iets wat ze in haar hand houdt. Ze draait zich om. Haar gezicht is nat van de tranen.

'Wat verschrikkelijk. Allemaal mijn schuld.'

Ze komt naar me toe en geeft me mijn mobiel terug. Daarna vlucht ze de kamer uit.

De foto staat nog op het scherm. Mijn vader pakt het ding uit mijn handen.

'Wat heeft dit in godsnaam te betekenen?'

Mijn moeder wil het ook zien. Dat mag niet gebeuren. Snel kom ik overeind, gris mijn mobiel uit de handen van mijn vader en druk de foto weg. Kalm blijven, vooral niet toegeven aan de paniek die me de adem dreigt te benemen.

'Laten we even gaan zitten,' weet ik uit te brengen.

'Wat is dat voor een foto?' vraagt mijn vader.

'Die hoorde bij een sms'je. Ik zal het je laten lezen.'

'Moet er echt geen dokter komen?' dringt mijn moeder aan.

'Het gaat wel weer.'

'En Brigitte? Wat is er opeens met haar?'

'Laat haar maar even. Ze zal deze keer niet weglopen.'

Ik open het eerste sms'je. Als mijn vader het heeft gelezen kost het hem de grootste moeite zich goed te houden.

'Als we Mariella terug willen zien, moeten we Brigitte uitleveren? Begrijp ik dat goed?' Zijn stem trilt.

Ik knik en pak de hand van mijn moeder vast. Ook bij haar begint door te dringen wat er aan de hand is.

'Instructies volgen,' leest mijn vader langzaam op. 'Geen politie. Van wie komt dit bericht? De bende van Toni soms?'

'Dat denk ik. Brigitte schijnt iets over hen te weten wat zo belangrijk is, dat ze koste wat kost haar mond moet houden. Uitleveren betekent haar dood. Haar vriendin, die ze dacht te redden door met Toni mee te gaan, is ook vermoord.'

'Er is dus al een dode gevallen. En nu hebben ze Mariella te pakken. Hoe hebben ze haar gevonden? Hoe wisten ze van haar bestaan? En hoeveel dieper zit je hier zelf in dan je tot nu toe hebt verteld?'

Het gezicht van mijn vader is bleek. Hij kijkt me strak aan.

'Ik weet bepaalde dingen die Brigitte mij heeft verteld, als journalist. Ik deed onderzoek naar de vermissing van Lianne en kwam Brigitte op het spoor. Daarna liep alles uit de hand.'

'Dan begrijp ik nog steeds niet hoe ze van het bestaan van Mariella wisten.'

'Dat heeft te maken met een cd die ik heb gevonden, vlak bij de plek waar een Marokkaanse jongen is doodgereden. Een nogal gecompliceerd verhaal.'

'Vertel toch maar,' dringt mijn vader aan. Hij heeft zich erop gestort en zal niet rusten voor de laatste druppel drek uit de stinkende beerput is opgezogen en gezuiverd.

'Die lunch is jullie duur komen te staan,' concludeert hij na mijn verhaal. 'Een bende loverboys, vertelde je ons eerder, met Toni als leider? Vergeet het maar. Dat is niet meer dan een zetbaasje. Hier zit iets veel groters achter. Hoe wisten ze dat Brigitte hier was, en hoe komen ze aan jouw mobiele nummer?'

'Via Mariella, vermoed ik.'

'Wat nu?' vraagt mijn moeder. Haar ogen staan vol tranen. 'Ik wil mijn dochter terug.'

'Ik ook,' zegt mijn vader.

Ondanks de ernst van de situatie ontgaat de dubbele betekenis van die uitspraak me niet.

'Jij hebt het nummer van die inspecteur hier, Francesca. Bel hem meteen, zou ik zeggen.'

'Niet doen. Ze willen geen politie,' protesteert mijn moeder.

'Laten we eerst wachten op de instructies,' stel ik voor.

33

We schrikken als mijn telefoon weer piept. 'Nummer onbekend,' zeg ik. 'Dat zijn ze.' Ik knijp mijn ogen dicht voordat ik het sms'je open en doe een schietgebedje. Dan vliegen mijn ogen over de regels.

'En?' vraagt mijn vader gespannen.

Morgen vlucht KL 1656 naar Schiphol vanaf luchthaven Marco Polo, om 17.45 uur. Op Schiphol nieuwe instructies. Volg die op, dan blijven Brigitte en je zus leven.

'Je gaat het toch niet verpesten door de politie in te schakelen, hè?' probeert mijn moeder nog een keer.

'Dit zijn geen lui om spelletjes mee te spelen,' voegt mijn vader eraan toe. 'We gaan gewoon doen wat ze zeggen. Die tickets kunnen we meteen via internet reserveren. Willen ze een antwoord?'

'Nee. Ze gaan ervan uit dat we gehoorzamen. Alleen wat de politie betreft ben ik niet van plan naar ze te luisteren,' zeg ik vastbesloten. 'Het spijt me, mam. Zonder hulp beginnen we niets tegen die lui. Ik ga Molenaar op de hoogte brengen. We moeten terug naar Nederland, dus dat lijkt me logischer dan de politie hier.'

'Dan doen ze Mariella wat aan,' fluistert mijn moeder radeloos. 'Ik wil haar niet voor altijd kwijtraken.'

'Ze hoeven er niet achter te komen. En wie zegt dat ze woord houden?'

'Mee eens,' zegt mijn vader. 'Die rechercheur kan beter dan wij bedenken hoe we dit moeten aanpakken.'

'Je hoeft alleen maar te doen wat ze vragen. Geen politie dus.' Mijn moeder is de wanhoop nabij. Ze staat op en loopt de kamer uit.

'Die schoften zijn niet te vertrouwen. Ze kunnen dan met ons doen wat ze willen,' roep ik haar na. Ik heb Molenaars nummer al ingetoetst en houd het toestel tegen mijn oor. Het duurt lang voordat hij opneemt. Logisch, het is al tien uur geweest, zie ik op de klok.

'Mevrouw Rizzardi.' Zijn stem klinkt vermoeid.

'Sorry dat ik u zo laat nog stoor, maar dit is een noodsituatie.'

'U bent thuis met de ramen en deuren op slot, neem ik aan? Probeert er soms iemand uw huis binnen te dringen?'

'Dat is het niet.'

'Wat dan wel?'

Hij luistert naar me zonder me te onderbreken.

'Allerafschuwelijkst,' reageert hij als ik hem alles heb verteld. 'Doe voorlopig wat ze vragen. Het lijkt erop dat jullie in Venetië niet veel te vrezen hebben, tenzij dit een valstrik is om jullie op het vliegveld daar op te kunnen wachten,' denkt hij hardop. 'Voor de zekerheid zal ik politiebeveiliging regelen tot jullie in het vliegtuig zitten. Stuurt u mij alstublieft de sms'jes die u hebt ontvangen zo door, evenals alle volgende. Nemen ze telefonisch contact op, meld me dat dan ook meteen. Morgenochtend bel ik u weer om te overleggen. Geen risico's deze keer en geen verrassingen.'

'Hoe wilt u dat bereiken?'

'Proberen hen een slag voor te zijn. Beroerd voor u dat u dit moet meemaken. Probeer wat te ontspannen en te rusten.'

Alsof dat mogelijk is. Na het gesprek ga ik naar Brigitte kijken. Ze ligt met opgetrokken knieën op bed, een en al treurigheid.

'Ze willen mij hebben in ruil voor je zus,' snikt ze. 'Vertel maar waar ik naartoe moet. Ik wil niet dat er nog iemand door mijn schuld doodgaat.'

Ik ga op de rand van het bed zitten en leg een hand op haar schouder. 'Jij bent op geen enkele manier verantwoordelijk voor Liannes dood. En ze krijgen jou niet, en mijn zus gaan ze vrijlaten,' zeg ik dapper.

'Heb je al meer gehoord dan?'

'Morgen moeten we het vliegtuig nemen naar Schiphol. Ik heb Molenaar om advies gevraagd en hij zegt dat we dat moeten doen. We worden overal beveiligd.'

'Pff... Dat hebben ze al eens eerder beloofd. Ik heb toen geluk gehad, maar niet dankzij de politie.'

'Hij onderschat dat tuig nu niet meer. Geloof me, het komt helemaal goed.'

Een meewarig glimlachje. Ze gelooft het niet. Ikzelf trouwens ook niet.

Veel eerder dan afgesproken bel ik met Sylvester. Ik ben alleen in mijn kamer, niemand voor wie ik me groot hoef te houden. Zodra ik zijn stem hoor laat ik me gaan en barst uit in een gierende huilbui. Hij wacht geduldig en ziet kans me een beetje te kalmeren. Uiteindelijk lukt het me om te vertellen wat er precies speelt.

'Ik kom je ophalen van Schiphol. Wie jou iets wil aandoen, zal eerst met mij moeten afrekenen.'

Ik lach door mijn tranen heen. 'Wat ben je toch lief. Je maakt alleen geen schijn van kans tegen die lui.'

'Dat zullen we dan wel eens zien.'

Zijn naïeve dapperheid doet me goed. Ik moet er alleen niet aan denken dat hij die in de praktijk gaat brengen.

De volgende ochtend zitten we met slaperige gezichten aan het ontbijt. Niemand heeft een oog dichtgedaan, niemand heeft veel trek in brioches en vruchtensap. Ik verlang vooral naar koffie, sloten koffie.

Na het ontbijt pakt Brigitte haar weekendtas in en ik mijn koffer. Mijn ouders zijn intussen boven aan het rommelen. Tot mijn verbazing komt mijn vader met een koffertje naar beneden.

'Ik heb voor mezelf ook maar een ticket gereserveerd,' deelt hij mee. 'Ik laat jullie onder geen beding alleen gaan. Jullie kunnen alle steun gebruiken.'

Ik had me ingesteld op een dag vol onverwachte gebeurtenissen, maar hierop was ik niet voorbereid. Daarom wilde hij dus gisteravond per se de tickets regelen, onder het mom van: ik weet hoe het werkt. Protesteren heeft geen zin, daar ken ik mijn vader goed genoeg voor.

'Ik blijf hier,' reageert mijn moeder op mijn vragende blik. 'Ik zou niet weten hoe ik jullie kan helpen. Als alles voorbij is zal ik jullie hier opvangen.' Ze kijkt er zo triest bij, dat ik naar haar toe loop en mijn armen om haar heen sla.

Brigitte lijkt zich opnieuw in zichzelf te hebben teruggetrokken. Alleen de hoogstnoodzakelijke woorden komen over haar lippen. Van wat er in haar hoofd omgaat heb ik geen idee. Ik hoef het eigenlijk ook niet te weten. Voorlopig heb ik meer dan genoeg aan mijn eigen angsten en onzekerheden, en delft mijn aangeboren nieuwsgierigheid tijdelijk het onderspit.

Molenaar belt pas tegen het eind van de ochtend. 'Hebt u nog een beetje geslapen?' vraagt hij meelevend.

'Ik heb geen oog dichtgedaan.'

'Dat spijt me voor u. Kunt u wel een beetje functioneren?'

'Ja hoor. Met één slapeloze nacht moet dat wel lukken.'

'Gelukkig. Er zal heel wat van u worden gevergd. Hebt u de vliegtickets al gereserveerd?'

'Ja. Mijn vader reist met ons mee.'

Het blijft even stil. 'O. Daar hebben we niet op gerekend.'

'Hoezo? Is dat een probleem?'

'We weten niet wat er na uw aankomst op Schiphol gaat gebeuren. U krijgt daar nieuwe instructies. Die zijn op u en Brigitte gericht, niet op uw vader. Dat kan complicaties geven waar we niet op zitten te wachten. Bovendien kan het, op het moment dat we ingrijpen, belemmerend werken als we met een derde persoon rekening moeten houden.'

Sylvester zou wel eens de vierde persoon kunnen zijn op wie ze niet rekenen, maar dat houd ik voor me. Na ons gesprek gisteravond houdt niemand Sylvester tegen als hij mij van Schiphol wil ophalen.

'Ik kan mijn vader niet verbieden om met ons mee te reizen.'

'Dat begrijp ik. Als hij jullie maar laat gaan zodra ik erom vraag. Daar moet u hem van overtuigen.'

'Ik zal het proberen.'

'Goed. Dan wat praktische zaken. Twee Venetiaanse politiemensen in burger zullen jullie naar het vliegveld begeleiden. Ze komen jullie ophalen met een boot. U krijgt daar een telefoontje over. Ik ken de situatie in Venetië niet, maar ik begrijp dat u vanaf een aanlegplaats rechtstreeks naar de vertrekhal kunt lopen.'

'Klopt. Een wandeling van ongeveer vijf minuten.'

'Met de nodige risico's. Maar mijn collega's zullen die wel weten in te schatten. Vergeet niet sms'jes die u ontvangt meteen naar me door te sturen. Ook als u wordt opgebeld, wil ik dat direct weten. Probeer contact met me op te nemen op een plek waar u niet of moeilijk zichtbaar bent. We houden er rekening mee dat u al vanaf aankomst op Schiphol in de gaten wordt gehouden. Doe vooral niets op eigen initiatief. Eis dat u uw zus aan de telefoon krijgt. Pas nadat u haar hebt gesproken bent u bereid om te doen wat ze vragen.'

'Waarom wilt u dat zo?'

'Sorry dat ik zo direct ben, maar we willen er zeker van zijn dat uw zus nog in leven is. Haar bevrijding heeft prioriteit, net als de bescherming van Brigitte. Het voortbestaan van hun smerige business hangt af van haar spreken of zwijgen. De belangen zijn immens.'

'Dat heb ik inmiddels begrepen, ja.'

'Nog iets praktisch. Na uw aankomst op Schiphol moet u met Brigitte het eerste damestoilet binnengaan dat u tegenkomt. Wij zoeken wel uit bij welke gate uw vliegtuig aankomt. U wordt daar opgewacht door een agente die u kogelwerende vesten zal geven.'

'Is dat werkelijk nodig?' Ik voel me misselijk.

'Dit betreft een vermijdbaar risico,' zegt Molenaar zakelijk.

Ik val stil. Even weet ik niet wat ik moet denken of vragen. Het enige waarvan ik me bewust ben is dat zowel het leven van Mariella als dat van Brigitte gevaar loopt. Zelfs het mijne.

34

Even na drieën krijg ik een telefoontje van inspecteur Luciano. Twee agenten zullen ons om vier uur komen oppikken. We lopen dan naar de halte San Silvestro, waar een boot voor ons klaarligt.

Het kost me daarna moeite om me op het inpakken van de laatste spullen te concentreren. Brigitte heeft zo te zien hetzelfde, in nog sterkere mate dan ik. Ze oogt triest en kwetsbaar, voelt zich waarschijnlijk zo schuldig over alles wat er gebeurt dat haar angst naar de achtergrond wordt gedrongen.

Precies op de afgesproken tijd verschijnen de agenten op de binnenplaats beneden. Tijd om afscheid te nemen van mijn moeder. Tevergeefs probeer ik me groot te houden. Ook Brigitte gaat huilen wanneer mijn moeder haar omhelst. Ze klampt zich bijna aan haar vast.

De korte wandeling naar de boot, de snelle vaart over de laguna, opnieuw een wandeling, door de vertrekhal rechtstreeks naar de gate, beleef ik in een roes. Het is een omgekeerde kopie van ons vertrek op Schiphol. De agenten blijven dicht naast ons lopen en houden alles en iedereen scherp in de gaten. Dat besef ik nog wel, maar mijn gedachten zijn al in Nederland, bij mijn zus. Door mijn schuld verkeert ze in levensgevaar. Hoe houdt ze zich? Leeft ze nog wel?

In het vliegtuig zitten we met z'n drieën naast elkaar, Brigitte bij het raampje. Op de heenreis had ze nog énige belangstelling voor de wereld onder haar. Nu zit ze stilletjes voor zich uit te kijken, klapt werktuiglijk haar tafeltje omlaag wanneer de stewardess een snack komt brengen, kiept zodra ze die op heeft haar stoel achterover en doet haar ogen dicht. Ik blader wat in het KLM-magazine en mijn vader bestudeert het vluchtplan, alsof hij dat nooit eerder heeft gezien.

Voor mijn gevoel duurt de vlucht korter dan anders. Als we zijn geland en naar de gate taxiën, slaan de zenuwen toe. Het lijkt of mijn maag vol stenen zit. Zelfs mijn benen voelen zwaar, terwijl ik nog zit. Om ons heen staan passagiers op om hun bagage uit de opbergvakken te halen. Ik blijf nog even zitten en zet mijn telefoon aan. Gisteravond heb ik de batterij opgeladen, op aandringen van mijn vader, die ook in crisissituaties praktische zaken niet uit het oog verliest. Toen ik vertelde dat Brigitte en ik kogelwerende vesten kregen, zei hij meteen dat we ruimvallende kleding moesten dragen.

Ik kijk hem zijdelings aan, en hij glimlacht me bemoedigend toe. 'Laten we maar blijven zitten tot iedereen eruit is,' stelt hij voor.

Brigitte heeft haar veiligheidsriem losgemaakt en draait zich naar me toe.

'Het is bijna zover, hè? Ik ga precies doen wat ze ons opdragen. Je zus mag niets overkomen, dat wil ik niet op mijn geweten hebben.'

Ik leg mijn hand op haar arm. 'Jou mag ook niets overkomen. De politie staat klaar om ons te helpen, en daar rekenen die klootzakken niet op. Ze zijn dus in het nadeel.'

Ze reageert niet omdat mijn mobiel piept. Daar zijn de instructies. Het kost me de grootste moeite om mijn handen stil te houden terwijl ik het sms'je open. Een alledaags bericht, lijkt het, met een looproute.

In aankomsthal borden naar Hiltonhotel volgen. Lange gang helemaal uitlopen. Met lift links twee etages naar beneden. Niet naar buiten, maar parkeergarage in gaan.

'Een parkeergarage,' mompelt mijn vader, die heeft meegelezen.

'Weinig mensen, makkelijke vluchtroute, maar ook goed af te grendelen door de politie. Dit moet je meteen doorsturen.'

Ik ben al bezig. Molenaar zal het bericht binnen een paar seconden ontvangen.

De laatste passagiers verlaten het vliegtuig. Ik wil blijven zitten, weer terugvliegen naar het veilige Venetië. Werkelijk alles in me verzet zich tegen wat komen gaat. Mijn vader staat al in het gangpad. Hij heeft alleen handbagage meegenomen. Mijn koffer en de weekendtas van Brigitte zitten deze keer in het bagageruim. Ik schuifel naar hem toe, gevolgd door Brigitte. Ze ziet nog bleker dan gisteravond, deels door het slaaptekort.

Na een vriendelijke groet van het cabinepersoneel lopen we de slurf in. De eerste toiletten die we tegenkomen, heeft Molenaar gezegd. De eerste test ook. Als die al zou misgaan...

We komen in een gang met vervoersbanden. Overal zijn mensen, een gezellige drukte, een thuiskomst op Schiphol zoals ik al zo vaak heb meegemaakt. Nu kijk ik constant om me heen, speurend naar mannen van het type Nicolai, die meer dan normale belangstelling voor ons hebben.

Ik kan ze niet ontdekken en daar word ik niet rustiger van. Integendeel. Had ik Nicolai zelf hier gezien, dan had ik geweten waar we aan toe waren. Nu voelt de onzekerheid over wat ons te wachten staat extra bedreigend.

'Stop,' zegt mijn vader zacht, 'bij deze toiletten moeten jullie zijn.'

Ik zou zo zijn doorgelopen. Nu niet toegeven aan angstgevoelens, anders worden ze werkelijkheid. Ik moet me concentreren op het hier en nu, op Mariella, op de agente die ons hier opwacht.

Ik loop naar binnen, op de voet gevolgd door Brigitte. Naast de wastafel staat een vrouw. Verder is de ruimte leeg. Brigitte kijkt me aan. Denkt ze hetzelfde als ik? Zolang die vrouw er staat, kan ze niets zeggen.

De vrouw kijkt ons bevreemd aan omdat we maar wat staan in plaats van een toilet in te gaan. Ze droogt haar handen bij de automaat. Het oorverdovende gebrom ervan klinkt dreigend.

Achter ons komt een schoonmaakster binnen. Ze duwt een karretje met allerlei schoonmaakmiddelen, emmers en doekjes voor zich uit.

'Ik ga zo dicht,' zegt ze. 'Jullie kunnen de wc's nu nog gebruiken.'

Brigitte haalt haar schouders op en verdwijnt achter een deur. Ik doe hetzelfde. Nu pas merk ik hoe nodig ik moet. Als ik weer naar buiten kom, staat Brigitte haar handen te wassen. De schoonmaakster loopt met een bord BUITEN GEBRUIK naar de ingang, zet het neer en trekt de deur dicht.

'Zo worden we voorlopig niet gestoord,' zegt ze. 'Ik ben Annette en ik ga jullie helpen met deze vesten.'

'Wat een opluchting,' zeg ik met een diepe zucht. 'Ik dacht dat er iets mis was gegaan.'

'Dat kan altijd, maar dit was vrij eenvoudig. Allebei maat medium, zie ik. Dat moet wel passen. En jullie hebben al ruimvallende kleding aan. Handig.'

De vrouw praat rustig, alsof er niets aan de hand is. Ze geeft ons allebei een vest van stroef aanvoelende stof, maar veel minder dik dan ik had verwacht.

'Trek maar aan. Zelfs van een paar meter afstand gaat er geen kogel doorheen. Je voelt alleen een klap en je kunt buiten westen raken, maar je houdt er niet meer dan een blauwe plek aan over.'

'Verwachten jullie dan dat er op ons geschoten gaat worden?' vraagt Brigitte timide.

Annette begrijpt dat ze iets te enthousiast is geweest. 'Ik zeg dit niet om jullie bang te maken, maar juist om jullie gerust te stellen.' Ze neemt ons nieuwsgierig op. 'Jullie zien er niet bepaald uit als schietschijven, dus waarom dit nodig is?'

Ze diept een zoemend telefoontje op uit haar zak en brengt het naar haar oor. 'Hallo… Ja, ze trekken de vesten net aan.' Ze luistert een tijdje. 'Zal ik doen. Dat was rechercheur Molenaar, die de operatie leidt. Ik moet jullie hier nog even vasthouden. Een vertragingstactiek. Dat geeft mijn collega's de tijd om hun posities in te nemen.'

Brigitte draait zich onverwachts om naar de wastafel en begint te kokhalzen.

'Wat zei Molenaar precies?'

'Alleen dat jullie je vooral niet moeten haasten als je hiervandaan loopt. Hij kan elke minuut gebruiken. Daar komt het op neer.'

Er wordt zacht op de deur geklopt. We kijken alle drie tegelijk die kant op. De deurknop gaat omlaag en de deur wordt langzaam opengeduwd.

'Liggen!' beveelt de agente. Opeens heeft ze een vuurwapen in haar hand dat ze op de deur gericht houdt. Brigitte en ik liggen al op de vloer. Mijn hart bonkt, mijn keel voelt droog.

De deur gaat nog iets verder open. Er verschijnt een gezicht, een mannengezicht.

'Niet schieten,' roep ik opspringend. 'Dat is mijn vader.'

Annette vloekt. 'Had u niet even kunnen zeggen dat hij stond te wachten?' Ze stopt haar wapen weer weg. 'En wilt u buiten blijven, meneer?' snauwt ze.

Ze staat al te telefoneren. 'De vader van een van de vrouwen staat buiten. Had die niet ook een vest moeten hebben?'

Ze luistert, kijkt dan naar mij en geeft me haar mobiel. 'Hij wil u zelf spreken.'

'Dag, mevrouw Rizzardi.' Molenaars stem klinkt beheerst als altijd. 'Deze keer is het goed afgelopen, maar dit mag niet nog eens gebeuren. Vraag uw vader om achter te blijven wanneer jullie straks met de lift gaan. Vraag via uw mobiel om een levensteken van uw zus. Voordat u de lift in gaat moet u dat hebben gekregen. Zo niet, stap dan niet in, maar loop terug naar de lounge van het Sheratonhotel, aan uw rechterhand. Daar gaat u naar binnen. Iemand van ons zal u daar opvangen en zo nodig bescherming bieden. Duidelijk allemaal?'

'Helemaal duidelijk.' De nuchtere afstandelijkheid waarmee hij zijn instructies doorgeeft, slaat op mij over. Angst leidt tot fatale beslissingen op cruciale momenten. Dat er zo'n moment aan komt lijdt geen twijfel. Alleen als ik me aan de greep van de angst ontworstel, kan ik snel en adequaat reageren.

'Oké, we gaan,' zeg ik tegen Brigitte en ik geef de agente haar mobiel terug.

'Veel sterkte,' zegt ze.

Het gezicht van mijn vader is verkrampt. Hij moet doodsangsten hebben uitgestaan. 'Ik dacht even...' stamelt hij. 'Toen dat mens haar pistool op me richtte...'

'Het was nogal een domme actie van je.'

'Dom?' klinkt het verontwaardigd. 'Ik werd ongerust omdat het zo lang duurde.'

'Dat begrijp ik. Maar dit mag niet nog eens gebeuren. Je mag met ons mee tot aan de lift en niet verder. Jouw aanwezigheid zou de plannen van de politie kunnen doorkruisen en levens op het spel kunnen zetten.'

Gelukkig protesteert hij niet.

'Wat heeft Molenaar je allemaal verteld?' wil Brigitte weten.

Ik ben zo met mezelf bezig geweest, dat ik er niet aan heb gedacht haar op de hoogte te brengen. Met een verontschuldiging doe ik dat alsnog. Daarna open ik in mijn mobiel het laatste sms'je en kies in het menu voor beantwoorden.

Ik wil mijn zus spreken, tik ik. Meteen verzend ik het bericht.

'Op naar de bagagebanden,' zeg ik, gemaakt opgewekt.

Mijn vader en Brigitte weten even niet wat ze aan me hebben. Is bij Francesca een stop doorgeslagen of zo? Het sterkt mijn zelfvertrouwen.

35

Door twee lange gangen, een trap naar beneden en een deur lopen we naar de bagagehal. Vooral niet haasten. De band met de bagage uit ons vliegtuig gaat net draaien als we aankomen.

Medepassagiers hebben een kordon om de voorbijglijdende koffers gevormd. Iemand die zijn koffer op de band heeft ontdekt, wringt zich erdoorheen.

'Daar staat Sylvester,' zegt mijn vader. Hij wijst naar de ophalers achter het glas.

Ik zwaai enthousiast naar hem. Dit is een gewone thuiskomst, niets wijst erop dat er misschien vreselijke dingen gaan gebeuren.

De piep van mijn mobiel brengt me terug naar de realiteit. Ik loop een eindje weg en open het bericht. Een foto van Mariella, op de passagiersstoel van een auto, genomen door de voorruit. Op het eerste gezicht is ook dít een doodgewone foto. Helaas is hij te klein en te wazig om haar gezichtsuitdrukking te kunnen zien.

Meteen volgt er nog een sms'je. *Laat haar niet te lang wachten.*

Mijn vader is naast me komen staan. 'Wat sturen ze?'

Ik laat hem de foto zien.

'Alles lijkt in orde met haar.'

'Lijkt, ja. Die foto kan al dagen geleden genomen zijn. Ik wil haar spreken.'

'Je koffer, Francesca,' roept Brigitte. 'En mijn tas.'

'Ik help haar wel.'

Mijn vader loopt al weg. Veel tijd om na te denken heb ik niet nodig. Een levensteken, daar moest ik om vragen.

Ik kies in het menu voor beantwoorden. *Ik wil haar spreken, anders geen Brigitte,* sms ik terug.

Mijn hand is klam. Verder heb ik mijn zenuwen onder controle, maak ik mezelf wijs. Ik zal al mijn kalmte nodig hebben als Sylvester me zo meteen in zijn armen sluit en voor beschermengel gaat spelen. Hoe leg ik hem uit dat zijn goedbedoelde hulp helemaal verkeerd kan uitpakken? Dat valt bijna niet uit te leggen.

Mijn vader heeft de bagage op een wagentje gezet en duwt dat langs de weinig belangstellende douanebeambte de aankomsthal in.

Sylvester staat vlak naast de uitgang, snelt op me af en trekt me tegen zich aan. Ik mag me niet laten gaan, nog niet. Zo te zien heeft hij meer moeite om zijn emoties in toom te houden dan ik.

De criminelen met wie we te maken hebben, gaan koel en klinisch te werk. Alleen met dezelfde instelling heb ik een kans tegen hen. Daar verandert Molenaar met zijn ploeg rechercheurs niets aan; een ijzingwekkende gedachte die zich in mijn hoofd heeft genesteld sinds het incident bij de toiletten.

'Wat nu?' vraagt Sylvester.

'We gaan op zoek naar het Hiltonhotel. We zullen straks wel nieuwe instructies krijgen.'

'Ga je die opvolgen?'

'Wat kan ik anders? Ik heb toch geen keus? Ze hebben Mariella gegijzeld.'

'Kan de politie niet ingrijpen?'

'Vast wel. Maar dan moeten ze wel weten waar Mariella is.'

Sylvester gedraagt zich tegen Brigitte opvallend koel. Dat zal haar schuldgevoel wel eens kunnen aanwakkeren, met misschien desastreuze, kamikazeachtige acties van haar tot gevolg. Ook daar moet ik op bedacht zijn.

De bordjes met Hiltonhotel zijn gemakkelijk te vinden. Even later lopen we in de lange gang waar de instructie naar verwees. Er is een loopband, maar die nemen we niet.

Het is opvallend rustig in deze gang. Hij geeft alleen toegang tot twee hotels en een parkeergarage. Aan de linkerkant verschijnt de lounge van het Sheratonhotel. Onze vluchthaven, volgens Molenaar. Als het goed is zit hier de rechercheur die ons bescherming kan bieden. Een van de twee mannen die daarbinnen aan een tafeltje zitten misschien? Vanaf hun plek zijn we goed te zien.

Mijn mobiel gaat over. Geen sms'je deze keer. Mariella? Mijn hartslag versnelt.

'Met Francesca.'

'Mevrouw Rizzardi. U bent bijna bij de lift, hoorde ik zojuist. Hebt u al contact gehad met uw zus?'

Molenaar, niet Mariella. Ik onderdruk mijn teleurstelling.

'Nee. Ze hebben een foto van haar gestuurd, zittend in een auto. Die kan al veel eerder zijn gemaakt. Ik heb nog een keer laten weten dat ik haar wil spreken.'

'Dat moet u volhouden. Loop door tot de lift, maar ga er niet in. Eerst mondeling contact met uw zus, anders gaat u terug.'

'Doen we. Ik stuur ze nogmaals een sms'je.'

'Zodra u met de lift naar beneden kunt, moeten uw twee begeleiders achterblijven. Ze zouden voor politiemensen in burgerkleding kunnen worden aangezien.'

'Dat regel ik. Wanneer gaat u ingrijpen?'

'Dat hangt van de situatie af. Er zijn een paar mannen in de parkeergarage. Ze proberen nu naar binnen te komen. Bel me als u contact met uw zus hebt gehad. Veel sterkte.'

'Nieuwe instructies van Molenaar,' zeg ik terwijl ik mijn mobiel weer wegstop. 'We moeten doorlopen tot aan de lift en daar wachten tot ik Mariella te spreken krijg. Zo niet, dan gaan jullie met z'n drieën terug naar het Sheraton. Ik ga in dat geval alleen naar beneden.'

'Wat?' protesteert Sylvester. 'Wil die rechercheur jou alle risico's laten lopen? Is hij niet goed bij zijn hoofd?'

'Ze zullen mij niets aandoen zolang ze niet weten waar Brigitte is. Jij en mijn vader kunnen worden aangezien voor rechercheurs. Grote kans dat ze jullie neerschieten,' bedenk ik snel. Met dit idee van mij zal Molenaar beslist niet blij zijn, maar het gaat om míjn zus, niet die van hem. Ik weet waar Brigitte is, en die kennis zal ze zo veel waard zijn dat ze er Mariella voor zullen teruggeven.

Het laatste deel van de gang is verlaten en griezelig stil. Die lui zijn hier blijkbaar goed bekend.

Bij de lift blijven we staan. Sylvester veegt nerveus met zijn hand over zijn gezicht, mijn vader houdt zijn kaken krampachtig op elkaar geklemd en Brigitte kijkt strak naar de grond. Ik heb mijn telefoon in de hand, afwachtend, gespannen, maar ook heel alert. Het verbaast me niet eens dat er geen bericht van Mariella komt. Dan hadden ze haar evengoed eerder kunnen laten bellen. Ze gaan ervan uit dat we toch wel naar beneden komen, de arrogante hufters.

'Jullie moeten terug,' zeg ik als we een minuut of drie hebben gewacht.

'Ik wil niet dat je alleen gaat. Ik ga met je mee,' zegt Sylvester.

'Jou zullen ze zonder pardon overhoopschieten, mij niet,' herhaal ik. 'Doe alsjeblieft wat er van je wordt gevraagd. Ga met mijn vader en Brigitte mee terug.'

'Die man heeft al eerder fouten gemaakt. Ik wil niet dat je risico's loopt voor... voor...'

Ik weet wat hij wil zeggen, werp snel een blik op Brigitte.

'Laat mij in jouw plaats gaan, Francesca.' Brigittes eerste woorden sinds lange tijd. 'Dan is alles meteen opgelost en komt je zus vrij.'

'Dat geloof ik niet. Zolang ze jou niet hebben, doen ze haar niets. Daarna is haar leven niet veel meer waard. Ik ga alleen, dan krijgen ze hun zin nog niet. Belangrijke tijdwinst, waarin de politie Mariella misschien vindt. Bovendien ben je kroongetuige.'

'Francesca heeft gelijk. Dat is voor iedereen het beste.'

De stem van mijn vader klinkt wonderlijk rustig. Hij heeft zichzelf op tijd hervonden.

'Geef mij je koffer maar.'

Sylvester kan het niet laten me nog een keer stevig te omhelzen. Hoe lief bedoeld ook, ik moet me ervoor afsluiten. Ik kijk ze na terwijl ze teruglopen. Halverwege de gang draaien ze zich naar me om. Sylvester steekt zijn hand op. Het is zo'n treurig gebaar, dat ik heel even twijfel aan mijn beslissing. Snel keer ik me om naar de lift en druk op de knop. De deur schuift open, een lege ruimte gaapt me aan en nodigt me allesbehalve uit om naar binnen te stappen. Ik kan nog terug. Terwijl Mariella ergens beneden is zeker, doodsbang, afhankelijk van wat ik besluit, spreek ik mezelf moed in. Kom op, doorzetten.

Ik ben al binnen en druk op het knopje voor twee etages lager. Het ding glijdt als geolied door de liftschacht. Ik heb geen trilling en geen schokje gevoeld als de deur aan de andere kant opengaat. Ik ga in de opening staan, zodat de deur niet kan sluiten. Voor me staat een glazen wand, rechts is een deur die toegang geeft tot de garage erachter en het parkeerterrein buiten.

De schemering is ingevallen. Buiten branden de straatlantaarns, binnen het koudblauwe neonlicht. Doodstil blijf ik staan. Elke vezel in mijn lijf is gespannen, mijn ogen zoeken de omgeving af. Om me heen heerst de explosieve rust van een vulkaan die elk moment tot uitbarsting kan komen, maar die daarvoor geen enkel signaal afgeeft.

Waar is mijn zus? Waar zijn de schoften die haar vasthouden? En waar zijn Molenaar en zijn mannen?

Gedurende minstens twee eindeloze minuten gebeurt er niets. Dan speelt het melodietje van mijn mobiel door de ruimte. In de doodse stilte klinkt het geluid oorverdovend. Uiterlijk kalm – ik word beslist geobserveerd – breng ik het telefoontje naar mijn oor.

'Met Francesca.'

'Wat zijn dat voor klotetrucs, takkewijf? Waar is dat meisje?'

Nicolai! Zijn stem slaat over van woede. Goed zo. Ik heb hun plannen doorkruist, dat ontregelt ze en daardoor kunnen ze fouten maken.

'Eerst mijn zus terug, dan hoor je waar dat meisje is.'

'Is ze niet hier?'

'Dat hoor je straks. Eerst mijn zus.'

Hij vloekt en verbreekt de verbinding. Onmiddellijk wordt er weer gebeld.

'Ja?'

'Bent u niet goed wijs? U hebt er geen idee van met wie u te maken hebt. Terug! De lift in! Nu, meteen!'

Achter de glazen wand duikt Nicolai op. Ik verbreek de verbinding met Molenaar, maak met mijn hand duidelijk dat Nicolai geen stap dichterbij moet komen. Met duim en pink gebaar ik dat hij me moet bellen. Om er geen twijfel over te laten bestaan dat ik anders met de lift ben vertrokken voor hij bij me is, doe ik een stapje terug en wijs omhoog. De deur schuift al dicht. Net op tijd kan ik me ertussen wrikken.

Nicolai heeft het begrepen. Hij haalt zijn mobiel tevoorschijn.

'Met wie belde je daar?' wil hij weten.

'Mijn vriend. Hij begrijpt niet waar ik blijf.'

'Wat heb je hem gezegd?'

'Dat hij de politie naar de parkeergarage tegenover het Hiltonhotel moet sturen als ik niet binnen drie minuten contact met hem opneem.'

Hij gaat zo tekeer dat ik mijn mobiel een eind van me af houd. Het gebaar ontgaat hem niet. Had er geen dikke glazen wand en een deur tussen ons in gezeten, dan was ik mijn leven niet zeker geweest.

'Oké, oké. We doen het zo. Ik breng je naar je zus, daar vertel jij me waar dat kreng is.'

'Eerst mijn zus. Vertel me waar ze is.'

'Je hebt toch een foto gehad? Ze zit in een auto die hier in de garage staat.'

Hier moet ik Molenaar zo snel mogelijk van op de hoogte brengen zodat hij kan uitzoeken of het waar is. Maar hoe?

'Met jou meegaan lijkt me niet zo'n goed idee. Zodra ik heb verteld waar je Brigitte kunt vinden, maak je me af. Ander plan dus.'

Hij staat zich op te vreten, terwijl ik steeds rustiger word, meester van de situatie; zo voelt het althans.

'Oké. Ik geef je de sleutel van de auto en zeg waar die staat. Het uitrijkaartje voor de slagboom ligt op het dashboard. Ze zit op de voorstoel, precies zoals op de foto. Een beetje stilletjes omdat ze wat op heeft. Voor jou niets nieuws.' Hij grinnikt zowaar. 'Voordat je bij haar in de auto stapt, vertel je me waar Brigitte is.'

'Waar staat die auto precies?'

'Deze etage, laatste rij voor de uitgang. Je kunt zo wegrijden. Deal?'

Ik wil erover nadenken, zoek naar een mogelijkheid om het antwoord uit te stellen.

'Mijn vriend gaat zo contact opnemen met de politie. Ik moet hem snel bellen,' zeg ik gehaast.

'Doe dat, voordat er ongelukken met je zus gebeuren.' Als waarschuwing haalt hij een hand langs zijn keel. Veel branie, veel spieren, maar een beperkt denkraam.

Ik druk voor de zoveelste keer Molenaars nummer in. 'Mariella zit volgens Nicolai in een auto op deze etage, vlak bij de uitgang,' zeg ik voordat hij zijn 'mevrouw Rizzardi' kan laten horen. 'Hij wil me de sleutel geven en me naar haar toe laten gaan. In de auto zou een uitrijkaart moeten liggen.' Ik grijns even breed naar Nicolai om te laten weten dat ik mijn vriend op tijd heb gewaarschuwd. 'Voordat ik in de auto stap moet ik zeggen waar Brigitte is.'

Molenaar reageert nogal kortaf. 'Te gemakkelijk. Die man is niet alleen. Hij probeert u ergens in te luizen. Mijn mannen zijn binnen. Ik laat ze uitzoeken of het klopt.'

Is Nicolai toch slimmer dan ik dacht? Hoogmoed komt voor de val, maar gelukkig is Molenaar er nog, denk ik cynisch.

'Wat moet ik doen?'

'Laat merken dat u hem niet vertrouwt. Zeg dat hij de auto zelf uit de parkeergarage moet rijden, zodat u zonder belemmeringen weg kunt. Hij zal dat waarschijnlijk moeten overleggen met zijn maten. Dat is tijdwinst. O ja, kunt u uw mobiel op trilstand zetten?'

'Dat kan, ja. Waarom?'

'De melodie is op grote afstand te horen. Iemand die wil weten waar u bent, hoeft alleen maar te bellen.'

'Doe ik meteen.'

Met mijn duim omhoog naar Nicolai beëindig ik het gesprek en gebaar dat hij contact met me moet opnemen.

'Ik heb me bedacht. Je gaat de auto met mijn zus erin zelf buiten de garage zetten. Bel me maar als je dat hebt gedaan. Voorlopig ben ik hier weg.'

Ik doe een stap naar achteren en druk op de liftknop. Vlak voordat de deur dichtschuift, zie ik Nicolai woedend weglopen.

Twee etages hoger stap ik niet uit, maar laat de lift meteen weer omlaaggaan. Nicolai is nergens meer te bekennen. Ik glip snel de garage in. In de verte, boven de geparkeerde auto's, zie ik een bordje waar UITGANG op staat. Daar ergens zou Mariella in een auto kunnen zitten. Onder dekking van de auto's loop ik erheen. Ineens hoor ik stemmen links van me, halverwege de garage. Ik blijf doodstil staan. Nicolais stem, geen twijfel mogelijk, en die van een andere man. Ze hebben ruzie. Dat komt goed uit: zo kan ik onopgemerkt dichter bij mijn zus komen.

De spanning begint me op te vreten. Mijn hartslag versnelt, zweet stroomt uit mijn oksels, mijn hoofd bonst. Daar is de slagboom. De laatste rij ervoor, zei Nicolai. Nog iets dichterbij misschien. Dan verstijf ik, moet me geweld aandoen om niet te gaan krijsen.

Twee auto's verder zit Mariella op de passagiersstoel van een zilvergrijze Opel Corsa als een wassen beeld voor zich uit te staren. Onder invloed van drugs? Ze kan net zo goed dood zijn.

Niet in paniek raken, nu komt het erop aan. Waar zijn die mannen gebleven? Ik hoor of zie ze nergens. Nicolai doet niet wat ik heb gevraagd, anders was hij al hier. Hij belt me trouwens ook niet.

Diep bukkend sluip ik naar de auto met Mariella erin. Ze blijft rustig voor zich uit kijken. Er ligt inderdaad een uitrijkaart op het dashboard, zie ik als ik door het zijraam naar binnen gluur, en de sleutel zit in het contact. Ik kan het niet geloven en kijk nog een keer. Het is waar, ik kan de auto zo starten en wegrijden.

Voorzichtig trek ik het portier naast Mariella open. Ze reageert niet als ik haar hand aanraak. Hij voelt warm. Snel controleer ik haar polsslag. Die is rustig. Wat een opluchting! Ik word overspoeld door emoties, maar besef dat ik nu meer dan ooit mijn hoofd erbij moet houden. Ik duw het portier half dicht om geen lawaai te maken, sluip dan om de auto heen en wil het andere portier opentrekken. Mijn beweging bevriest. Een arm wordt om mijn middel geslagen, een hand op mijn mond gedrukt.

Ik wil gillen, worstel om los te komen. Bijten, ik moet in die hand bijten, mijn elleboog naar achteren rammen.

'Politie. Blokker,' sist een stem in mijn oor.

Ik herken de stem van Molenaars collega.

De hand op mijn mond wordt weggehaald, de greep om mijn middel verslapt.

'Niet erg verstandig, mevrouw Rizzardi,' zegt hij op fluistertoon, terwijl hij de garage afspeurt.

'Ik kan zo met de auto wegrijden.'

'Niet doen! Die sleutel zit wel in het contact, maar niet om ermee weg te kunnen rijden. Reken maar op een explosie zodra u de sleutel omdraait. We gaan uw zus er snel uit halen.'

Mijn mobiel begint te trillen. Beller onbekend. Nicolai. Blokker heeft het al begrepen.

'Neem maar op.'

Ik doe wat hij zegt.

'Ja?'

'De auto met je zus staat buiten naast de ingang. Nu jouw deel van de afspraak. Waar is die meid?'

'Dat zeg ik als ik de sleutel heb en zeker weet dat ik onbelemmerd kan wegrijden.'

'De sleutel heb ik in het slot laten zitten. Je komt nu meteen naar beneden met Brigitte, anders kun je je zus vergeten.' Einde gesprek.

'Hij wil dat ik naar beneden kom met Brigitte,' fluister ik tegen Blokker.

'Dan staat hij in de buurt van de lift. Dat geeft ons ruimte.'

'Hij is natuurlijk niet alleen. Hebt u enig idee met hoeveel ze zijn?'

'Drie man.' Hij haalt een mobilofoon uit zijn zak. 'Een van de mannen is in de buurt van de lift. Wat doen de andere twee?' vraagt hij fluisterend.

Hij luistert en knikt. 'Goed, ik haal die vrouw uit de auto.'

'Ze zijn die andere kerels kwijt. Zitten waarschijnlijk in een vluchtauto te wachten.'

Hij opent het linkerportier. 'Ik werk haar naar buiten, u vangt haar op.'

Hij verdwijnt in de auto. Gebukt loop ik om en open het portier aan de passagierskant. Het bovenlichaam van Mariella valt opzij.

Ik vang het op en pak haar onder haar arm. Wat is zo'n willoos lichaam zwaar!

'Help alstublieft,' kreun ik.

Samen trekken we Mariella uit de auto. Wat nu? Als we haar willen wegdragen zullen we op het rijgedeelte moeten lopen en zijn we zichtbaar.

'We slepen haar over de grond, tussen de auto's door. We moeten hier zo snel mogelijk weg. Reken maar dat ze terugkomen.'

Blokker komt uit zijn gebukte houding overeind en leunt tegen de auto. Meteen klinkt er een schot. Hij valt tegen de auto aan en zakt in elkaar op de grond. Naast hem vormt zich meteen een plasje bloed. Er volgen meer schoten. Van alle kanten, lijkt het, want ze weerkaatsen alle kanten op. Mijn maag komt omhoog, angst grijpt me bij de strot. Voor Blokker kan ik niets doen, voor Mariella wel. We moeten hier zo snel mogelijk weg, heeft Blokker gezegd. Omdat ze zullen terugkomen.

In paniek trek ik aan Mariella en ik sleep haar langs de achterkant van een terreinwagen, half onder de uitstekende bumper van een BMW door, langs een Golfje. Mijn knieën zijn geschaafd, mijn schouders kermen van de pijn. Weg moet ik, zo snel mogelijk bij die vreselijke auto vandaan.

Het schieten was even gestopt, maar begint weer. Nog twee auto's, dan ben ik aan het eind van de rij en bij de uitgang. Ik kijk over mijn schouder. Dan klinkt er een daverende explosie. Ik registreer een lichtflits, ben me er nog van bewust dat ik ergens tegenaan word gesmeten. Een snerpende pijn in mijn schouder dooft mijn bewustzijn.

36

Gedempte stemmen. Iemand lacht. Een vrouw vraagt me iets. Ik open mijn ogen en draai moeizaam mijn hoofd wat opzij. Ze draagt een wit uniform. Langzaam dringt tot me door dat ik voor de tweede keer in korte tijd in een ziekenhuis lig.

'Mevrouw, wilt u iets drinken?'

Ik knik. Een rietje wordt tussen mijn lippen geduwd. Ik neem een slok. Koel sap stroomt mijn mond in.

In het bed naast me ligt een vrouw, zie ik als ik mijn hoofd de andere kant op draai. De beweging bezorgt me een felle pijnscheut in mijn schouder.

Alsof de vrouw voelt dat ze wordt bekeken, draait ze haar gezicht naar me toe. Onze ogen ontmoeten elkaar, mijn keel wordt dik. Ze verdwijnt achter een waas van tranen. Ik wil naar haar toe gaan, maar voel dat het me niet zal lukken. Ze glimlacht en fluistert mijn naam. Dan zakken haar ogen dicht.

Ook mijn ogen worden weer zwaar. Nog een keer kijk ik opzij, dan geef ik mijn verzet tegen de slaap op.

Ik heb er geen idee van hoeveel later ik weer wakker word, heb ook geen idee van de tijd. Het is rumoeriger. Op de achtergrond klinkt geroezemoes. Er wordt druk heen en weer gelopen.

Mariella is wakker en ligt naar me te kijken, wat verbaasd, lijkt het wel.

'Dag, Francesca. Ik ben er nog, hè?'

'Anders lag je toch niet in een ziekenhuis, joh?' Iets beters weet ik zo snel niet te zeggen.

'Weet je wat ze tegen me zeiden? Nog één spuit, je laatste, dan ben je voorgoed van ons af, en wij van jou. Ze hadden me vastgebonden, ik kon niets doen. Er werd een naald in mijn bovenbeen geduwd. Toen werd alles mistig. Wat er daarna gebeurde weet ik niet, tot ik jou daarstraks naast me zag liggen. Weet jij wel wat er is gebeurd?'

Onze aankomst op Schiphol, de kogelwerende vesten, Mariella in de geparkeerde auto, het schieten en ten slotte de explosie. Ik weet het ongeveer op een rijtje te krijgen. Maar hoe vertel ik dat aan Mariella?

'Te veel om even snel te vertellen. Hoe voel je je?'

'Beroerd, duizelig, misselijk. En jij?'

'Pijn in mijn schouder.' Ik wil me verder naar haar toe draaien, maar de pijn verhindert dat.

Opeens hoor ik een bekende mannenstem, die in een onverstaanbare discussie is verwikkeld met een man die niet bekend klinkt. Dan gaat de kamerdeur open.

'Ze liggen hier in elk geval veilig, met een agent voor de deur.'

Sylvester. Gevolgd door mijn vader komt hij op ons aflopen. Ik schiet weer vol, lach door mijn tranen heen, kreun als hij me iets te stevig omhelst en wil mijn lippen nooit meer van de zijne losmaken.

'Wat ben ik blij dat het zo is afgelopen,' fluistert hij na een tijdje. 'Jullie hebben onwaarschijnlijk veel geluk gehad, besef je dat? Heb je al met een arts gesproken?'

'Nog niet.'

'Molenaar vertelde dat je tegen een auto bent gesmakt en je sleutelbeen hebt gebroken. Verder wist hij het niet.'

'Ik heb overal pijn, maar wel draaglijk.'

'Weet je nog wat er is gebeurd nadat je met die lift naar beneden bent gegaan?'

Ik geef geen antwoord, omdat ik uit mijn ooghoek iets zie wat me meer treft dan mijn eigen pijn. Mijn vader staat naast Mariella en aait over haar wang. Hij praat zachtjes tegen haar. Wat hij zegt kan ik niet verstaan, maar ik denk dat ik het wel begrijp.

'Wat vroeg je ook alweer?'

'Of je weet wat er precies is gebeurd.'

'Ik heb Mariella uit een geparkeerde auto gehaald, samen met een politieman. Er werd op ons geschoten en die politieman werd geraakt. Daarna heb ik Mariella in mijn eentje weggesleept. Plotseling was er vlakbij een zware explosie. Dat is het laatste wat ik me herinner.'

'Er zat een bom in de auto. Die is ontploft. Jullie zijn op het nippertje aan de dood ontsnapt. Volgens een politiewoordvoerder waren er drie mannen in de garage die het vuur op de politie openden. Twee van hen hebben kans gezien te ontsnappen. Eentje is zwaargewond, maar buiten levensgevaar. Die politieman heeft minder geluk gehad.'

'Is hij dood?'

Sylvester knikt.

'Wat vreselijk.'

Ik word er stil van en probeer me zijn gezicht voor de geest te halen. Mijn eerste ontmoeting met Blokker, op het politiebureau, herinner ik me nog goed. De tweede, in zijn laatste minuten, staat me minder helder voor de geest. We moeten die man eeuwig dankbaar zijn. Zonder hem hadden Mariella en ik hier waarschijnlijk niet gelegen.

'Hoe is het met Brigitte?'

'De politie heeft haar naar een veilig adres gebracht. Meer weet ik niet.'

Mijn vader buigt zich over me heen om me een kus te geven.

'En hoe is het met mijn andere dochter?'

‘Gaat wel. Vind je het niet heerlijk om weer twee dochters te hebben?’

Op zijn gezicht verschijnt een glimlach die ik lang niet meer bij hem heb gezien.

‘Een godsgeschenk. De een nog moeilijker in toom te houden dan de ander.’ Hij knippert met zijn ogen, zijn mond trilt een beetje. ‘Maar daardoor heb je wel het leven van je zus gered.’

Later op de dag – ik heb net een arts gesproken die me verzekerde dat ik snel weer op de been zou zijn – komt Molenaar op bezoek.

‘De twee gezusters, gehavend maar verenigd,’ zegt hij wat geforceerd.

‘Dit is de rechercheur die de hele operatie heeft geleid,’ stel ik Molenaar aan Mariella voor.

‘O.’ Ze geeft hem een hand.

‘Hoe gaat het nu met u?’ vraagt Molenaar aan mij.

‘Pijn in mijn schouder, kneuzingen en schaafwonden. Niet van belang. Ik kom er wel overheen. Het spijt me vreselijk van uw collega,’ zeg ik.

Hij knikt, klemt zijn kaken op elkaar en kijkt dan naar buiten.

‘Een goede vriend en een prima vent, een verlies voor het korps. Beroepsrisico, zeggen ze dan.’

Hij staart weer in de verte. Het verlies van zijn collega grijpt hem aan.

‘Zonder hem had ik mijn zus niet uit de auto gekregen. Hij heeft onze levens gered.’

Hij zucht. ‘Misschien maakt dat het voor zijn vrouw en kinderen makkelijker om zijn dood te accepteren. Ik wil al het tuig dat betrokken is bij de moord op hem, op Lianne en op Van Bladel zo snel mogelijk voor de rechter slepen. Nicolai is echter ontsnapt, met een van de andere schutters. En Toni krijg ik ook al niet achter de tralies, helaas.’

'Helaas? Moet u soms stoppen met deze zaak omdat er een bevriende collega bij is omgekomen?'

Hij schudt nauwelijks merkbaar met zijn hoofd.

'Dat is het niet. Toni heeft om een deal met justitie gevraagd in ruil voor een belastende verklaring tegen Dan Tudorache, en hij gaat die vrijwel zeker krijgen. Strafvermindering, een korte detentie, een nieuwe identiteit en dan kan hij weer ergens vrolijk vrouwen gaan exploiteren. Ik vraag me af waarom wij ons leven nog wagen om zulk schorem van de straat te plukken. Aan Blokkers vrouw kan ik dit in elk geval niet uitleggen.'

'Toni wordt toch verdacht van de moord op Lianne?'

'Zoals het er nu naar uitziet, valt dat niet te bewijzen.'

'Maar... Hij wilde voor mijn ogen Brigitte vermoorden, nadat een eerdere aanslag op haar, waarvan hij geweten moet hebben, was mislukt. Krijgt zo iemand serieus een deal met justitie? Daar begrijp ik werkelijk niets van.'

'De journaliste in u wordt wakker, hè? Wat mij betreft mag u de hele beerput voor het publiek opengooien en de grootste smeerlappen aan de schandpaal nagelen,' zegt hij met een grimmig lachje.

'Wie zijn dat dan? Toni? Nicolai?'

'Niet die kleine vissen, de grote jongens graag. De stromannen bij politie en justitie die het voor Dan Tudorache mogelijk hebben gemaakt om ongestoord zijn gang te gaan.'

Mariella, die zich tot nu toe afzijdig heeft gehouden, kijkt hem ongelovig aan.

'Stromannen bij politie en justitie?' vraagt ze. 'Wie is Dan Tudorache?'

'Een maffiabaas,' zeg ik. 'Jongens van hem hebben jou te grazen genomen.' Ik kijk weer naar Molenaar. 'Gelooft u werkelijk dat Dan Tudorache politie- en justitieambtenaren op de loonlijst heeft staan?'

'Betalen was niet nodig. Hij had de twee om wie het gaat volledig in zijn macht omdat ze op kinderen vielen, begrijpt u?'

'Er begint inderdaad het een en ander op zijn plek te vallen,' zeg ik geschokt. 'Wanneer bent u daarachter gekomen?'

'Ik vond het wat merkwaardig dat een officier van justitie ons zo zwaar op de huid zat bij het onderzoek naar de dood van die Marokkaanse jongen en de moord op Van Bladel. Koste wat kost moest worden voorkomen dat gewelddadige Marokkaanse jongeren de straat op gingen. Bovendien moest dat Allahu Akbar-briefje zo lang mogelijk uit de publiciteit worden gehouden uit angst voor reacties vanuit rechtse kringen. Daar lagen onze prioriteiten, werd ons voortdurend voorgehouden. De cd met de foto's kon voorlopig opzij worden gelegd omdat het waarschijnlijk niets aan het onderzoek zou bijdragen. Oppervlakkig bezien leek dat plausibel. Totdat u zich met de zaak ging bemoeien en Brigitte, Lianne, hotel Marilyn, Nicolai en Toni in beeld kwamen. Die cd bleek opeens van cruciaal belang.'

'U hebt Brigitte daarna foto's laten bekijken van mogelijke klanten van haar. Ik begrijp dat één daarvan een officier van justitie was. Maar ze wees nog iemand anders aan.'

'Een rechter-commissaris,' antwoordt Molenaar prompt. 'Hij was de man die zich er zogenaamd zorgen over maakte dat journalisten verkeerde informatie over dat ongeluk en de moord op Van Bladel zouden publiceren.'

'In werkelijkheid wilde hij daardoor voorkomen dat journalisten zich in die zaak gingen verdiepen, op die cd zouden stuiten en zouden proberen de codes te kraken.'

'U raadt het. U was de luis in zijn pels, en u was hem steeds een stapje voor. Ik zal het verhaal compleet voor u maken,' vervolgt hij. 'Het zou toch jammer zijn als er fouten in uw artikel komen te staan.'

'Krijgt u daar geen problemen mee?'

'En wat dan nog?' zegt hij met een strak gezicht. 'Een fantastische collega van mij, die een vrouw en twee kinderen achterlaat, is vermoord. Een veroordeelde vrouwenhandelaar pleegt tijdens zijn verlof de vreselijkste misdaden, maar wordt toch gepromoveerd tot kroongetuige en krijgt als dank strafvermindering. De moordenaars van Lianne Karsten, Van Bladel en waarschijnlijk nog een derde slachtoffer lopen nog vrij rond. Topcrimineel Tudorache wordt met uiterste voorzichtigheid aangepakt omdat zijn vorstelijk betaalde advocaten elk foutje van justitie genadeloos zullen afstraffen. De uitkomst zou wel eens kunnen zijn dat hij uiteindelijk wordt vrijgelaten wegens gebrek aan bewijs. De rechtsstaat in al zijn glorie. Moet ik me dan serieus druk maken over de vraag of ik misschien iets te veel loslaat?'

'Ik wil u geen moeilijkheden bezorgen.'

'Heel sympathiek van u. Bepaalt u zelf maar hoe terughoudend u wilt zijn.'

'U had het net over een mogelijk derde slachtoffer. Wie bedoelt u?'

'Een directe medewerker van de rechter-commissaris, iemand met veel kennis van dossiers. Hij is ongeveer tegelijk met Lianne Karsten verdwenen. Tudorache verdiende met zijn criminele activiteiten vermogens. Die werden witgewassen via de vastgoedsector, hun lijntje naar de bovenwereld. Justitie doet er alles aan om dat soort praktijken te voorkomen. Dan is het handig als je daar een stroman hebt zitten die hand- en spandiensten voor je verricht.'

'Maar Van Bladel dan, een geestelijke. Die werd ook gechanteerd. Was hij soms hun lijntje naar het hiernamaals?'

Hij moet er ondanks alles om lachen.

'Het ging soms om zulke grote bedragen dat het zelfs een rechter-commissaris niet meer lukte om die met lege dossiermappen af te dekken. Een deel van dat geld werd dan via een parochie in Brabant doorgesluisd naar een kerkelijke rekening in Roemenië. Kerken worden niet zo snel ergens van verdacht, vandaar.'

'Tot Van Bladel dwars ging liggen,' concludeer ik. 'Toen werd ook zijn laptop nog gejat en veroorzaakte hij een ongeluk waarbij een Marokkaanse jongen om het leven kwam. Geloof me, het was puur toeval dat ik langs die plek reed.'

'Ja, ja. Heel toevallig ook dat u die cd opraapte.'

Ik wil er niet op ingaan en stel daarom een vraag die me al een tijdje bezighoudt. 'Lopen Brigitte en ik nog steeds het risico om geliquideerd te worden?' Ik verbaas me erover dat ik het woord zo gemakkelijk over mijn lippen krijg. Mariella kijkt geschokt.

'Toni's getuigenis moet ruim voldoende zijn om Dan Tudorache en zijn vriendjes te laten hangen. Die van Brigitte en u zijn aanvullend, maar niet doorslaggevend. Dus levert jullie liquidatie hun waarschijnlijk te weinig op om risico's te nemen. Toni staat met stip bovenaan op hun dodenlijst. Mocht het ze lukken hem om te leggen, dan komen jullie weer volop in beeld. Maar we zullen er alles aan doen om het niet zover te laten komen.'

Hij kijkt op zijn horloge en staat op. 'Ik heb zo een afspraak.'

'Nog één vraag. Hoe is het met Brigitte en waar is ze nu?'

'Op een veilig adres.'

'Zomaar? Zonder hulp?'

'Hoe bedoelt u?'

'Dat meisje heeft hulp nodig, minstens zo hard als de beveiliging die jullie haar geven. Wat zij op haar leeftijd allemaal heeft meegemaakt, verwerk je niet zomaar op eigen kracht.'

'Ik ga mijn best voor haar doen.' Hij geeft ons allebei een hand. 'Het spijt me, dames, maar ik moet er nu echt vandoor.'

Epiloog

'Hoi, Francesca.' Brigitte zoent me op mijn wangen. 'Heb je echt wel tijd? Je moet toch werken?'

'Voor jou máák ik tijd.'

'Lief van je.'

Haar gezicht is magerder geworden en onder haar ogen tekenen zich donkere kringen af. Ze heeft nog dezelfde verdrietige uitstraling als een paar maanden geleden, toen we samen bloemen zijn gaan leggen op het graf van Lianne. Het stroomde van de regen. Ze had geen paraplu bij zich, maar weigerde onder de mijne te komen schuilen. Minutenlang stond ze naar het graf te kijken, met kletsnatte, aan haar hoofd vastgeplakte haren, een standbeeld waar de regen overheen gutste en aan alle kanten af droop. Ze zei geen woord, ook niet toen ik haar bij een arm pakte en meetrok naar mijn auto. Thuis heb ik haar onder een warme douche gezet en haar kleren in de droogtrommel gestopt. Ze bleef zo lang in de badkamer dat ik even bang werd dat ze zichzelf iets had aangedaan. Maar dat was toen. Nu heeft ze zichzelf volgens mij voldoende hervonden om weer wat zin in het leven te hebben.

'Wil je iets drinken? Ik heb cola voor je gehaald.'

'Lekker.'

Ze loopt door naar de kamer en gaat op de bank zitten. Haar schooltas ploft naast haar op de grond. Ze wilde met me praten, zei ze gisteren door de telefoon. Waarover zei ze er niet bij.

'Lukt het een beetje, op school?' vraag ik terwijl ik een glas voor haar neerzet.

Ze kijkt wat ongelukkig.

'Het is zo'n kinderachtig gedoe allemaal, en ik vind niet dat ik er veel opsteek. Maar dat komt misschien nog als ik ga doorleren.'

'Dat wil je dus wel gaan doen?'

Ze haalt haar schouders op. 'Ik zie wel. Eerst maar proberen om weer een beetje normaal te gaan leven. Er is een vrouw van de Raad voor de Kinderbescherming bij ons thuis geweest. Iemand van school had die op ons afgestuurd. Kan dat zomaar?'

Daar wilde ze dus over praten.

'Sorry, ik weet ook niet precies hoe dat allemaal werkt en wat de regels zijn. Je bent nog minderjarig.'

'Dat mens was stomvervelend, deed of ik een grietje van tien was, of zo. Dat ze me kwam opzoeken was voor mijn eigen bestwil. Dat geloof je toch niet? Het toontje waarop ze dat zei. En dan al die vragen: "Maak je vaak ruzie met je moeder?", "Verwaarloost je moeder je niet?" Ik heb nooit problemen met mijn moeder, heb ik gezegd. Ze helpt me vaak met mijn schoolwerk. Mijn moeder heeft haar gelukkig hetzelfde verteld, anders was ze misschien een pleeggezin voor me gaan zoeken of een opvanghuis.'

'Ze weet natuurlijk waarom je zo'n tijd niet op school bent geweest en wat je daarvoor deed als je spijbelde.'

'Wat bedoel je daar nou mee?'

'Dat het niet zo vreemd is dat ze even wilde kijken hoe het nu met je gaat.'

Ze pakt haar glas en neemt een paar flinke slokken.

'Oké, dat begrijp ik. Als ze mij maar niet gaat vertellen wat ik wel en niet mag doen, zoals een tijdje geleden bij dat meisje dat rond de wereld wilde zeilen. Een supergaaf kind was dat. Wist precies wat ze wilde en was veel slimmer dan al die suffe volwassenen die haar zo nodig tegen zichzelf in bescherming moesten nemen.' Ze trekt een verontwaardigd gezicht. 'Voor haar eigen bestwil,' laat ze er meesmuilend op volgen.

'Maak je niet druk, joh. Volgens mij hebben jij en je moeder precies de goede dingen gezegd.'

Ze zet haar glas weer aan haar lippen en drinkt de rest van haar cola in één keer op.

'Ik moet volgende week komen getuigen in het proces tegen die maffiabaas,' schakelt ze abrupt over. 'Heb jij ook een oproep gehad?'

'Ik moet eind volgende week.'

'Ik woensdag. Die rechtbank is superbeveiligd, net een bunker, wist je dat?'

Ik knik. Ze wil me iets anders vertellen, voel ik, maar dit is veiliger.

'Misschien zie ik Toni daar wel weer.'

Dat dus.

'Wil jij alsjeblieft met me meegaan? Ik durf niet zo goed alleen.'

'Ze laten je daar echt niet in je eentje naartoe komen, hoor. Daar krijg je nog wel bericht over. En natuurlijk ga ik met je mee.'

'Dank je wel. Weet je, het was allemaal een beetje weggezakt, maar na die brief voel ik me opeens veel minder veilig op straat. Heb jij dat ook?'

'Een beetje,' geef ik toe. 'Het komt ineens weer dichterbij, hè.'

'Het liefst zou ik ergens opnieuw willen beginnen, zoals Toni. Die is straks echt van Dan Tudorache af.'

'Vergeet het maar. Die heeft de rest van zijn leven geen rust meer omdat hij altijd bang zal zijn dat ze hem vinden.'

'Het wordt voor mij ook nooit meer zoals vroeger.'

'Ben je daar niet blij om dan?'

'Ja, natuurlijk. Maar zo bedoelde ik het niet. Ik heb mijn mond niet gehouden. Daardoor heeft de politie hotel Marilyn ontdekt.

Dan Tudorache vergeet zoiets niet. Hij komt weer een keer vrij. Of hij verzint dat zijn moeder ernstig ziek is en krijgt dan een tijdje verlof.'

'Daar trappen ze bij justitie heus niet in.'

Ze lacht schamper.

'O nee? En Toni dan? Die lachte zich rot toen ze hem lieten gaan omdat zijn vader zogenaamd ziek was. Hij zou uit zichzelf wel weer terugkomen. Dat geloofden die dombo's bij justitie echt. Intussen kon Toni mooi afrekenen met de meisjes die hem hadden aangegeven. En achteraf zijn ze zo blij met hem dat ze hem als beloning een nieuw leven geven.'

Alsof ik Molenaar hoor spreken.

'Tjonge, wat klinkt dat cynisch.'

'Sorry, Francesca, maar zo is het toch. Als we niet oppassen komen we hier nooit meer van af.'

'Daar wil ik niet aan denken, dat is geen leven.'

'Daarom wil ik aanstaande woensdag het liefst mijn mond houden. Die rechters zoeken maar iemand anders om te ondervragen.'

'Dat meen je niet,' reageer ik stomverbaasd.

'Ik heb geen zin in gedonder met vriendjes van die maffiabaas. Als ik jou was, zou ik hetzelfde doen. Wat schieten wij er nou mee op? Helemaal niets toch?'

'We helpen justitie om Dan Tudorache en zijn vrienden achter de tralies te krijgen.'

'Reken er maar niet op dat hij ons is vergeten als hij vrijkomt,' herhaalt ze. Ze staat op, loopt naar het raam en kijkt naar het voorbijrazende verkeer op de rondweg beneden. 'Het liefst zou ik een tijdje ver weg gaan, en pas na het proces terugkomen.'

'Weet je al waarheen? Is Venetië ver genoeg?'

Ze draait zich naar me om en moet er een beetje om glimlachen. 'Daar zou ik graag nog een keer heen willen.'

'Mariella en ik gaan er komend weekend naartoe. Even ontspannen voordat het proces begint. Waarom ga je niet met ons mee? Mijn ouders willen je graag nog eens terugzien.'

Ze kijkt verrast. 'Meen je dat?'

'Ja, echt. En ik zou het leuk vinden, en Mariella beslist ook. Zullen we kijken of we nog een vliegticket voor je kunnen krijgen?'

'Graag.'

Mijn voorstel moet haar hebben overdonderd, want ze blijft een hele tijd zwijgend uit het raam staren.

In haar schooltas klinkt het signaal van een binnenkomend sms'je. Ze gaat weer zitten, zet haar tas op schoot en haalt haar mobiel eruit.

'Ik heb straks met Wendy afgesproken. Misschien is er iets tussen gekomen,' is haar excuus om het bericht meteen te willen bekijken.

Terwijl ze het leest, zie ik haar wit wegtrekken. De hand waarmee ze mij haar telefoontje geeft, trilt.

Geen woord, anders weten we jullie te vinden staat er op het scherm.

Opnieuw klinkt het geluid van een binnenkomend sms'je. Vrijwel tegelijk draaien onze hoofden naar de tafel, waar mijn mobiel op ligt.

Dankwoord

Bij het verschijnen van onze vijfde thriller bedanken we alle medewerkers van uitgeverij Boekerij voor de prettige en constructieve samenwerking.

Ook bedanken we Natasza Tardio, die ons op het spoor van Brigitte heeft gezet en ons wat Italiaans heeft bijgebracht.